MW00778866

¡En el Cielo!

SERIE MOMENTOS EN EL CIELO LIBRO 1

Mas si aun nosotros, o un ángel del Cielo, os anunciare otro evangelio distinto del que os hemos anunciado, sea anatema.

—GÁLATAS 1:8

¡En el Cielo!

SERIE MOMENTOS EN EL CIELO LIBRO 1

DEAN BRAXTON

Derechos de autor © 2015 por Dean Braxton

¡En el Cielo! por Dean Braxton Impreso en los Estados Unidos de América

1st edición

ISBN 978-0-9978372-8-5

Todos los derechos reservados únicamente por el autor. El autor garantiza que todos los contenidos son originales y no vulneran los derechos legales de ninguna otra persona u obra. Ninguna parte de este libro puede ser reproducida en forma alguna sin la autorización del autor. Las opiniones expresadas en este libro no son necesariamente los de la editorial.

A menos que se indique lo contrario, las citas bíblicas han sido tomadas de la Biblia Reina Valeria Contemporánea (2011) con Derechos de Autor a Sociedades Bíblicas Unidas.

www.Deanbraxton.com

Dedicatoria

Dedicado a mis hijos
Constance, Anthony, Marsha, Michael, Tiffany y Gabriel

Y a...

Edmundo Juan de Dios Cavazos Herrera.
Junio 11, 1952–4 de enero de 2020.

Edmundo fue un gran amigo desde 2009 hasta su muerte en 2020. La razón por la que empecé dedicándole un libro junto con mis hijos es que quería que se tradujera al español. Oriundo la ciudad mexicana de Nuevo Laredo, a lo largo de los años abogó por las personas que hablaban y leían español. Trabajó en varias agencias de comunidades sin fines de lucro para ayudar a las personas que necesitaban traducción e interpretación del inglés al español. Este amor que tenía por que se tradujeran todos los libros en inglés al español es el impulso para que este libro, En el Cielo, se escribiera en español. Muchas gracias, Edmundo Juan Dios Cavazos Herrera por este libro y por todos los demás que se traducirán al español.

Contenido

Notas del capítulo

Las oraciones que tienen un asterisco (*) tienen un seguimiento biblico en Notas del capítulo en la parte posterior del libro.

Prefacio

Conozco personalmente a Dean desde hace un par de años. Él es un gran hombre de Dios, y si estás leyendo este libro, probablemente sepas que estuvo muerto durante una hora y 45 minutos y se fue al Cielo. Durante su experiencia en el Cielo, Jesús le dijo: Fue enviado de regreso con un testimonio que cambió su vida. Cuando estás a su alrededor y lo oyes hablar, no hay duda que su testimonio es verdadero y confiable. Su amor por el Señor y su deseo de ver las almas salvadas reflejan esta verdad.

Si eres un creyente en Cristo, a medida que les este libro, te sentirás alentado por la visión que ofrece Dean sobre nuestro futuro hogar. Su experiencia con la muerte e ir al Cielo se describe con gran detalle para que pueda obtener una buena imagen de lo que ocurrió. Dean comparte muchas cosas, como el amor personal de Jesús por ti, adoración ante el trono de Dios, ángeles, oración y mucho más. Las cosas que comparte acerca de la oración te darán una comprensión más profunda de lo que ocurre en el reino de los espíritus cuando oramos. ¡Se les animará a orar más y conocer el arma poderosa que es la oración!

Con respecto a su experiencia, Dean de lo que explico sobre el Cielo, en algún lugar de la Biblia. Él también que encontraría todo lo que veía en el Cielo en la Biblia. ¡Eso significa que las enseñanzas contenidas en este libro son bíblicas! Eso es importante porque debemos comprobar con la Biblia toda afirmación sobrenatural y a alguien que diga que el Señor le habló. Debemos filtrar todas las cosas con la palabra de Dios como el pueblo de Berea porque es la norma por la cual medimos lo que es verdad. Hechos 17:11 (NLT):

Además de escudriñar las Escrituras para ver si Pablo y verdad, los berinos eran de *mente abierta* Si eres escéptico acerca de la muerte de Dean y de ir al Cielo, quiero animarte a tener una mente abierta mientras lees este libro. Creo que, para cuando llegues al capítulo final, todas tus dudas serán eliminadas.

Dean también comparte sobre ver a sus seres queridos que murieron y ahora están con Cristo en el Cielo. Esto es muy alentador, especialmente si has perdido a un ser querido. Recientemente mi padre falleció y fue lo más difícil que he experimentado emocionalmente desde que fui salvo. Fue como si me arrancaran un trozo del corazón. Honestamente, todavía es difícil creer que no esté aquí. Pero lo único que me consuela es saber que murió como un creyente en Cristo. Tuve el privilegio de llevarlo al Señor y bautizarlo. Cuando falleció, el Señor habló a mi corazón a través de1 Tesalonicenses 4:13-18.

Esto me ayuda con mi dolor porque no tengo como otros que no tienen esperanza. ¡NO! ¡Nos encontraremos nuevamente en el Cielo y el Señor! Tengo una foto de mi padre y yo abrazados en el altar de una de las conferencias de nuestra iglesia. ¡Creo que nos abrazaremos así nuevamente en el Cielo! ¡La historia de Dean es una confirmación de lo que creo que es abrazar a mi padre nuevamente!

En este libro, también leerás sobre los viajes de la esposa y los hijos de Dean cuando todo esto tuvo lugar. Mientras comparten su versión de la historia y la montaña rusa de emociones que experimentaron, verás cómo la afrontaron con fe. Su testimonio impartirá una gran sabiduría sobre cómo nosotros, como creyentes, debemos enfrentar la adversidad cuando se trata de nuestra vida y la de nuestros seres queridos. Sus testimonios son verdaderamente poderosos e inspiradores.

Como creyente en Cristo, Dios Padre quiere que conozcas como el apóstol «Porque sabemos que si nuestra morada terrestre, este tabernáculo, se deshiciere, tenemos de Dios un edificio, una casa no hecha de manos, eterna, en los Cielos" (2 Corintios 5:8). Cuando sepas esto, te dará la fuerza para superar cualquier prueba que la vida te arroje. Pablo también escribió en 2 Corintios 4:16-18 (RVC) - "Por lo tanto, no nos desanimemos. Y aunque por fuera nos vamos desgastando, por dentro nos vamos renovando de día. Porque estos sufrimientos insignificantes y momentáneos producen en nosotros una gloria cada vez más excelsa y eterna. Por eso, no nos fijamos en las cosas que se ven, sino en las que no se ven; porque las coasaque se ven son temporales, pero las que no se ven son eternas.

Un enfoque apropiado en nuestro glorioso futuro con Cristo nos empoderará para soportar cualquier tipo de problema. Entiende lo que voy a decir: Pablo comparó los sufrimientos que había experimentado al ser encarcelado, azotado, golpeado con varas, apedreado, naufragado, estar desnudo y pasar frío, y a menudo quedarse sin comer (2 Corintios 11:23-28) con problemas ligeros y momentáneos. ¿Por qué? Porque para Él, esas luchas no eran nada a la vista de la gloria eterna que sería suya al estar en la presencia de Jesús. ¡Y eso es increíble! La perspectiva eterna y la esperanza en las cosas venideras sostuvieron a Pablo en medio de los sufrimientos temporales que marcaron su ministerio. Y hará lo mismo por ti si fijas tus ojos no en lo que se se ve, ya que lo que se ve es temporal, pero lo que no se ve es eterno.

Por último, lo que se lee sobre el Cielo en este libro se promete sólo a los que son creyentes en Cristo. ¿Has puesto tu confianza en Jesucristo y en la obra terminada de su sacrificio expiatorio en la cruz por tus pecados? ¿Crees que fue enterrado en una tumba y se levantó de esa tumba el tercer día, derrotando así la muerte y allanando el camino para nuestra salvación? Si no, ¿qué estás esperando? ¡Hoy es el día de la salvación! A ninguno de nosotros se nos promete el mañana.

La muerte y el juicio son cosas que ninguno de nosotros puede escapar. Hebreos 9:27 dice: Dios consideró conveniente enviarnos un Salvador, Jesús, en el que confiaríamos en Él. Lo que hagamos con este conocimiento determinará si pasamos la eternidad en el Cielo o en el infierno. ¿Confiaras hoy en Él? arrepentirse (cambiar su forma de pensar) y darse cuenta que es un pecador que necesita un Salvador. Debe confesar sus pecados y apartarse de esa vida de pecado. Debe confesar que Jesús es el Señor, creer que murió en la cruz por los pecados del mundo, se levantó de la tumba el tercer día y lo recibió en su corazón como Señor y Salvador. Una vez que una persona ha hecho estas cosas desde su corazón, ¡se salva! ¡Vuelve a nacer! ¡Se ha convertido en un hijo de Dios! ¡Se ha convertido en ciudadano del reino de Dios! ¡Él está dentro y sellado con el Espíritu Santo de la promesa! Se le concede la vida eterna y se le perdonan completamente todos sus pecados.

Si estás dispuesto a entregar tu vida a Cristo, entonces ora la siguiente oración (o algo similar). Ten en cuenta que la oración no significará nada a menos que lo digas con sinceridad desde tu corazón.

"Mi Señor y mi Dios, vengo a Ti como pecador que necesita de un Salvador. Creo, Señor Jesús, que moriste en la cruz por mis pecados. Creo que te levantaste de la tumba el tercer día y ahora estás sentado a la mano derecha del Padre. Ven a mi corazón, Señor Jesús, y sé el Señor de mi vida y el Salvador de mi alma. Lávame en la preciosa sangre que derramaste en la cruz por mis pecados. A partir de hoy, ya no viviré para mí, sino que viviré para ti. Te doy las gracias por salvarme. En nombre de Jesús, oro, amén".

Ralph Gonzales
Autor, Pastor Mayor, Supervisor de Los
Ministerios de Templo de Alabanza

Introducción

Lo que empezó como un simple viaje a la sala de urgencias por un dolor de riñón se convierte en una gloriosa historia real de la muerte de Dean, su visita al Cielo y su milagrosa sanación. La muerte y el fallecimiento pueden ser los temas más incómodos de tratar, pero la experiencia documentada de Dean de estar "En el Cielo" produce un gran consuelo, esperanza y alegría sobre la vida futura a todos los que le llaman a Jesús Señor y Salvador.

Nuestro primer encuentro con Dean fue una conexión divina. Fue en el otoño de 2008 y, como de costumbre, estábamos ministrando a la hora del almuerzo en una escuela secundaria pública local a estudiantes sin iglesia y en riesgo. Un amigo y pastor local conocía a esta persona que "murió y fue al Cielo" que estaba ministrando a las iglesias de la zona esa semana y nos preguntó si queríamos tenerlo como orador para nuestro ministerio del club universitario. En ese momento sabíamos poco sobre él, así que buscamos su video de YouTube con "Es Supernatural" con Sid Roth para averiguar la legitimidad de su testimonio. Después de una reunión en un café local sentimos la autenticidad del amor de Dean por Jesús y decidimos que sería un orador increíble para nuestros clubes del campus de BStronglife.

El primer año habló en una sola preparatoria. Le anunciamos como "el hombre muerto que camina" y prácticamente no había sitio en esa primera reunión en la preparatoria. Los alumnos lo bombardearon con preguntas acerca de la muerte, después de la vida y su experiencia con Jesús. Dean siempre respalda su experiencia con las escrituras y, por supuesto, los registros médicos pueden demostrar que estuvo muerto durante aproximadamente 105 minutos. Esta no era una historia fantástica sobre alguien que cree que ha muerto, ya que los médicos verificaron que estaba realmente, realmente muerto.

Cuando Dean llegó el segundo año para ejercer su ministerio en California, teníamos una agenda repleta de reuniones con compromisos para hablar en cuatro campus de escuelas preparatorias, dos campus de escuelas secundarias y una academia especial para estudiantes en riesgo ambientada en un entorno de estilo militar. Al final de las semanas, más de 300 alumnos habían comprometido su vida para seguir a Jesús. Muchos alumnos hacían largas filas para obtener una copia firmada a mano del relato celestial de Dean. Dean generosamente donó cientos de libros de "En el Cielo" a los estudiantes. Su testimonio intrigó, fascinó e hizo llorar a muchos estudiantes. Su historia fue especialmente convincente para los estudiantes de riesgo de la academia militar. Al final de su charla celebrada en el templo de la academia, los alumnos corrieron al altar para entregar sus vidas a Cristo. Algunos estaban pegados a sus asientos, temblando y llorando ante la realidad de Jesús y el Cielo. Fue un momento que mi esposa y yo nunca olvidaremos.

Dean es "espectacular" y un hombre de gran sabiduría. Ha sido de inmenso consuelo para aquellos que han perdido recientemente a sus seres queridos. En una ocasión en particular, lo llevamos a una reunión en el norte de California donde iba a reunirse con un prominente educador y su grupo de intercesores. Fue en esta reunión que vimos de primera mano el amor de Jesús derramado cuando comenzó a hablar en el corazón y las vidas de los que estaban sentados alrededor de la mesa de conferencias. Fue capaz de abordar muchas preguntas acerca de la vida después de la muerte y lo que sus seres queridos probablemente experimentaron al entrar en el Cielo.

Muchos de los presentes en la mesa lloraron de alegría al ver que él ponía fin a la batalla emocional que vivían por la muerte de sus seres queridos. Observamos con asombro cómo los que se sentaban a la mesa se liberaban del miedo, la culpa y la incertidumbre respecto a la vida y la muerte. Vimos la paz de Dios liberada sobre ellos mientras Dean les ministraba el amor de Jesús y las palabras que dan vida.

Sabemos que ya ha tenido un impacto en personas de todo el mundo y estamos muy emocionados por ver lo que el Señor hará con esta traducción al español. Creemos que este libro tendrá un profundo impacto en la comunidad de habla hispana. Sabemos que "En el Cielo" tiene la capacidad de lograr una gran transformación en la vida de todos los que se preguntan: "¿Hay vida después de la muerte?"

Este libro da vida a las Escrituras y llega a muchas culturas y a diversos contextos para afirmar de forma inequívoca que nuestra vida es realmente todo sobre Dios nuestro Padre, Jesús su Hijo y el Espíritu Santo.

Ralph y Kathleen Hernández Fundadores,

BStrongLife Campus Clubs

Agradecimientos

Reconocimientos

Traducido por Érica Ruvalcaba—Heredia, Ed.D
Revisión de pruebas hechas por:
Alma Montemayor—Sándigo, Ed.D.
Hugo Alejandro Montemayor
Edmundo Juan de Dios Cavazos Herrera.

Me gustaría dar un agradecimiento especial a las siguientes personas, que ayudaron a repasar/traducir este libro en español. Creo que traerá gran alegría a millones de personas que lean este libro en español. Otra vez, un sincero agradecimiento.

Hugo Alejandro Montemayor—Marana Arizona
Alma Montemayor-Sándigo—Yuma Arizona
Érica Ruvalcaba-Heredia, Profesora de Español—Santa María, California
Eduardo Felipe Sandoval—Denver Colorado
Samuel Pagan Lamourt—Este de Pensilvania
Sharon Pagan Rosado—Este de Pensilvania
Antonieta María Sánchez de Shaban—Murfreeboro Tennessee
Ricardo Luis Medina Santiago—Witherbee, Nueva York
Alma Patricia Medina Flores—Witherbee, Nueva York
Rafael Ernesto Rosales Morataya—Ashburn, Virginia
Patricia Carolina Clara de Rosales—Ashburn Virginia
Miguel De Jesús Padilla—Spanaway, Washington
Lottie Marie Marin—Spanaway, Washington
Tirso J. Medina—Spanaway, Washington

Capítulo 1

"No, no es tu momento"

¿Qué recuerdo de la primera vez que estuve delante de Jesús? Recuerdo que Él me dijo, "No, no es tu momento. Regresa".* Y yo parecía aceptar bien su decisión. Así que me volví al borde del Cielo para regresar a la Tierra. Supe que mi cuerpo en la Tierra no estaba preparado para mi regreso. No puedo decirte cómo o por qué lo sabía, sólo lo sabía. Al regresar a los pies de Jesús, vi muchas cosas distintas en el Cielo. También me comuniqué con varios seres. Los llamo SERES porque estaban SIENDO todo lo que Dios los había creado para ser.

Cuando llegué a Jesús la segunda vez, Él volvió a decirme: "No, no es tu momento. Regresa". La segunda vez que me dijo que regresara, su voz era un poco más firme, y lloré en mis adentros. Así que me fui otra vez. Esta vez, cuando llegué al borde del Cielo, experimenté algo que no me traía felicidad. En el borde del Cielo hay una oscuridad espesa, una oscuridad como la que nunca experimentarás aquí en la Tierra.* Podrías sostenerla en tus manos si quisieras. No creo que nuestro cuerpo físico pueda penetrarlo. Era tan espeso. Tuve que pasar por esta oscuridad para llegar al Cielo, y más tarde, cuando dejé el Cielo para volver a la Tierra, volví a pasar por ella. Sabía que estaba lleno de demonios. Pero, también sabía que cuando pasaba por esta parte negra, ningún demonio podía tocarme porque era un hijo de Dios. No experimenté ningún miedo al atravesarlo hacia el Cielo, ni cuando salí para regresar a la Tierra.

Esta segunda vez llegué al borde del Cielo, escuché los gritos de aquellos que estaban en el infierno.* Escuché los gritos, los chillidos, y los gritos de dolor de las creaciones caídas (personas) de Dios. Sabía que si miraba por encima de este borde, vería lo que les ocurría allí. Pero no tenía ningún deseo de dar mi mirada. No es la voluntad de Jesús que el ser humano esté allí. Como no es su voluntad, tampoco era la mía ver el infierno. Pensar sobre esto siempre me trae una profunda tristeza.

Nuevamente, viajé por partes del Cielo y me comuniqué con más creaciones de Dios al regresar a los pies de Jesús. Cuando llegué ante Él la tercera vez, Él me dijo nuevamente: "¡NO, NO ES TU TIEMPO. REGRESA!" Fue realmente severo conmigo, y nuevamente sentí llorar en mis adentros, esta vez, como un niño. Estas son las únicas palabras que Él me habló. La otra forma en que se comunicó conmigo era casi la misma forma en que una computadora recibe información. Me miraba y ponía información que quería que supiera. Recuerdo haberle mirado a los ojos mientras descargaba todo tipo de información en mí. Sigo experimentando y adquiriendo nueva información incluso hasta hoy. Estoy descubriendo nuevas maneras de explicar lo que vi. Entiendo las cosas en la Santa Biblia como nunca las he entendido antes. Incluso mientras escribo esto, hay nuevas revelaciones que explican y Apocalipsis lo que me sucedió.

El dolor en mi costado

Cuanto esto sucedió, yo era el Gerente del Programa para dos Tribunales Superiores juveniles del Condado de King en Seattle, Washington. Uno de los tribunales trabaja con menores dependientes de sustancias químicas (Tribunal de Drogas), y el otro trabaja con menores con problemas de salud mental (Tribunal de Tratamiento). Este día coincidió con mi día en el Tribunal de Drogas. En las mañanas previas a una audiencia judicial, un equipo de profesionales discutiría casos de los jóvenes que comparecieron ante el tribunal ese día para determinar cómo les va. En el equipo hay un juez, el alguacil del juez, un miembro del personal de detención, un abogado de la acusación, un abogado de la defensa, un agente de policía, un educador, un consejero de salud mental, un consejero de dependencia química, dos consejeros de libertad condicional de menores y yo, el gerente.

El jueves 4 de mayo de 2006, conducía hacia el trabajo, sabiendo que el dolor en el costado no desaparecía tan fácilmente como en el pasado. Pero, creía que si podía ir a trabajar y acostarme en el suelo, el dolor desaparecería. Cuando llegué al trabajo a las 7 am, fui al baño. Pensé que el dolor desaparecería después de orinar, pero no fue así. Me quedo en el suelo, y aún así, el dolor no desaparece. En esta ocasión, sabía que el dolor no desaparecería. Había tenido este dolor antes, y sabía que eran cálculos renales. Pensaba que si lo ignoraba, el dolor pasaría. Sin embargo, esta vez, no fue así. Algo andaba mal.

Decidí que tenía que regresar a casa. Dejé el edificio e informé al guardia de seguridad en la puerta de entrada que me dirigía a casa, y le pedí que le hiciera saber a mi personal que me retiraba. Y así lo hizo. Cuando me preguntó qué estaba mal, le contesté: "Cálculos renales". También le dije que estaría bien. En el estacionamiento, me encontré con un compañero de trabajo y le pedí que llevara los bocadillos a la reunión del personal antes de la corte porque me estaba retirando.

De camino al hospital

El viaje de regreso a casa fue de 45 minutos a una hora. De camino a casa, vomité varias veces en el auto. Cuando finalmente llegué a casa, todavía tenía mucho dolor, así que me acosté en el suelo nuevamente, esperando que se aliviara el dolor, pero no fue así. Decidí ir a la sala de emergencias. Cuando entré en la sala de urgencias del hospital, estaba doblado de dolor y le hice saber al personal que creía que mi dolor era causado por cálculos renales. Me llevaron a una habitación y me dieron analgésicos. No estaba acostumbrada a tomar medicamentos. De hecho, no recordaba haber tomado ningún día de enfermedad en los últimos tres años. Mi esposa, Marilyn, llego y habló con el doctor sobre el problema. El médico me confirmó que tenía numerosos cálculos renales, uno de ellos clavado en lo alto del lado derecho del riñón, y que era el que causaba todos mis problemas. El doctor decidió operar al día siguiente y quería que pasara la noche.

En la mayoría de los casos de cálculos renales, el médico utiliza una máquina que emplea ondas ultrasónicas para disolver los cálculos y que el paciente pueda expulsarlos más fácilmente. Dio la casualidad que esta máquina estaría accesible en ese hospital al día siguiente. Quería que me quedara en el hospital toda la noche y que disolvieran las piedras usando esta máquina al día siguiente.

Una operación sencilla

Marilyn tuvo que lidiar no sólo con que estuviera en el hospital, sino con otra situación familiar que necesitaba su atención. Se suponía que debíamos irnos esa noche a visitar a la familia en Texas, y luego regresar con nuestro hijo, Gabriel, que asistía a el Colegio Bíblico de Cristo para las Naciones. Marilyn y un amigo pudieron cambiar nuestro vuelo de esa noche al 8 de mayo. Así que todo estaba listo. Se suponía que iba a ser una operación simple, y yo saldría al día siguiente. Eso es lo que creía que pasaría porque tuve esta misma operación hace cuatro años. Me registré una mañana y salí esa tarde.

Siete días después, regresé en sí en la Unidad de Cuidados Intensivos (UCI) de otro hospital, y me preguntaba: "¿Qué ha pasado?". (Más adelante, en este libro, mi mujer les dará su relato de lo que ocurrió durante ese tiempo). Todo lo que recuerdo es que después de la operación, los médicos y enfermeras estaban tratando de darme oxígeno, pero no podía respirar.

Luego, querían ponerme un línea PICC así que firmé un papel para autorizar el procedimiento. Cuando me quitaron el tubo de respiración de la boca, miré a mis padres y a mi hermano mayor y les dije que había visto a Jesús tres veces. Sabía que había muerto y que muchas personas que creían que Jesús me sanaría oraron para que volviera a la vida. Después me enteré que el personal del hospital me dio reanimación cardiopulmonar (RCP) durante una hora y 45 minutos. ¿Por cuánto tiempo estuve con Jesús? No puedo decírtelo. Parecía largo, y corto. Sé que TODO ES PERFECTO donde está Jesús, ¡y NO HAY TACHA ALGUNA! Algunos dicen que es el Cielo es paz, pero supera a creces la paz terrenal que entendemos porque en el Cielo, no hay nada por la cuál buscar la paz.* Cuando llegué por primera vez al Cielo y me arrodillé ante Jesús, todo lo que pude hacer, fue decir: "HICISTE ESTO por mí?!! ¡GRACIAS, GRACIAS, GRACIAS.

GRACIAS, GRACIAS, GRACIAS, Y MUCHAS GRACIAS!"* Podría haber dicho esto durante los próximos 3000 años o más, y todavía habría querido seguir dando gracias. Jesús es deslumbrante y los que somos JUSTIFICADOS en Él podemos estar frente a Él. Él es más brillante que el sol del mediodía, pero todavía podemos verle, si estamos BIEN con Él. Hay más que contar, pero eso tendrá que esperar por ahora. Todo lo que puedo terminar diciendo ahora es: ¡TODO ESTABA BIEN!

Capítulo 2

Sólo soy un hombre

Antes de profundizarnos más en este libro quiero que todo el mundo sepa que sólo soy un hombre. No me enviaron de regreso con poderes de superhéroe. Tengo el mismo Espíritu Santo en mí que tiene cada uno de los que han pedido a Jesús que sea su Señor y Salvador. Algunas personas han tratado de tratarme como si fuera especial por lo que me pasó. Incluso he escuchado a otros decir que tuve la suerte o la bendición de ir al Cielo y regresar porque pude ver a Jesús y a Dios, el Padre. Debo hacerles saber a todos que fui enviado a hacer lo mismo que se supone que debemos hacer todos los que aceptamos a Jesús en nuestras vidas como Señor y Salvador.* Dios nos encargó a todos que habláramos a la gente de Jesús y que compartiéramos con ellos lo mucho que los ama. No soy diferente a ninguna otra persona que ama a Jesús.

Veamos la historia de un hombre llamado Tomás en el libro de Juan.

JUAN 20:24-29 (RVC)

Pero Tomás, uno de los doce, conocido como el Dídimo, no estaba con ellos cuando Jesús vino. Entonces los otros discípulos le dijeron: «Hemos visto al Señor.» Y él les dijo: «Si yo no veo en sus manos la señal de los clavos, ni meto mi dedo en el lugar de los clavos, y mi mano en su costado, no creeré. Ocho días después, sus discípulos estaban otra vez a puerta cerrada, y Tomás estaba con ellos. Estando las puertas cerradas, Jesús llegó, se puso en medio de ellos y les dijo: «La paz sea con ustedes.» Luego le dijo a Tomás: «Pon aquí tu dedo, y mira mis manos; y acerca tu mano, y métela en mi costado; y no seas incrédulo, sino creyente.» Entonces Tomás respondió y le dijo: «¡Señor mío, y Dios mío!» Jesús le dijo: «Tomás, has creído porque me has visto. Bienaventurados los que no vieron y creyeron."

Tomás creyó DESPUÉS de ver a Jesús, y Jesús le dijo: "Tomás, porque me has visto, has creído. Bienaventurados los que no vieron, y creyeron". Todos los que NO han visto a Jesús como yo lo he visto son bendecidos porque Jesús lo dijo. Si usted que conoce a Jesús como Señor y Salvador es bendecido, bendecido, y bendecido. Todos tenemos el mismo trabajo que lograr aquí en la Tierra y es contar a tantas personas como podamos acerca de nuestro Señor y Salvador, Jesucristo.

¡Lo que realmente importa es que estés ahí!

Si no me crees a mí o a mis experiencias en el Cielo, no importa. Lo más importante es que vayas al Cielo. Cuando llegues allí verás el Cielo por ti mismo. Ni siquiera importará si estoy en lo correcto. ¡Lo que importará es que tú estés ahí!*

He llegado a comprender que realmente no soy yo quien lleva a una persona al Cielo o la mantiene fuera. Realmente no es nadie aquí en la Tierra. Es Jesús. Todo se trata de Él, y debido a ese entendimiento, no tengo que pretender un actuar para entrar en el Cielo, y tú tampoco.* Una persona que sea aprobada de Dios querrá servirle porque lo ama, no por lo que pude obtener. Proclamarán su nombre a todos y caminarán a su manera debido al amor que tienen por Él.

Así que nuevamente, si después de leer este libro, te cuesta creer lo que he escrito, está bien. Muchas de las cosas sobre las que escribo no te harán ser aceptado en el Cielo ni te mantendrán fuera el. Muchas de las diferentes creencias que separan las denominaciones de la iglesia no afectarán si vas al Cielo o no. Creo que algunas de esas creencias pueden impedir que seas un testimonio más eficaz para Jesús, pero no te impedirán entrar en el Cielo. Jesús solo está tomando en cuenta tu corazón. Hay mucha gente en el Cielo que no pensé que estarían ahí, pero llegaron, y muchos a quienes creía que lo lograrían, pero no lo hicieron. Jesús conoce el corazón de una persona.* Todo lo que puedo decir es que cuando Él me miró, Él se vio a sí mismo, y me aceptó en el Cielo.*

Capítulo 3

Todo está bien "¡¡¿Hiciste esto por mí?!!"

Cuando el médico removió por primera vez el tubo de respiración de mi boca, miré a la persona que estaba sentada junto a mi cama y cantando una canción sobre Jesús. Era Anthony, un amigo, cuyo trabajo en el hospital era ayudar con los respiradores. Él y su esposa, Monique, se habían hecho buenos amigos nuestros desde que nos conocimos en febrero. Así que, cuando inhalé y exhalé de nuevo por primera vez, fue como salir del agua. Sabía que había muerto. Miré a Anthony, y le dije: "¡Anthony, he visto a Jesús! Tienes que ir a decírselo a Monique y a tu iglesia. No tienes que esperar a que haya un Jesús. Es real. ¡Lo he visto!" Todo lo que podía oírle decir con voz profunda era: "Sí. Vi una gran sonrisa en su rostro, con tal vez una o dos lágrimas, cada vez que me repetía: "¡Vi a Jesús!" Se lo dije una y otra vez.

¡Algo debió haber salido realmente mal!

Más tarde, mi familia entró en la habitación. Hasta ese momento, no sabía realmente lo que había sucedido que me había hecho morir. Así que, cuando vi a mis padres pasar por el telón en la UCI, me dije: "¡Algo debió haber salido mal!". Sabía que los médicos no llamarían a la

11

familia, a menos que el paciente estuviera muriendo o hubiera muerto.

Mis padres viven en un pequeño pueblo llamado Atwater en California, y yo había recordado que habían estado fuera de la ciudad, visitando a la hermana de mi madre en Texas. Sabía que habían recorrido un largo camino para verme. Cuando pasaron por esas cortinas supe que había tenido grandes problemas. ¡Cuando mi hermano mayor atravesó esas cortinas, supe que algo había salido mal! También vivía en California.

Mi madre llegó al lado izquierdo de la cama, mi padre se detuvo al pie de la cama y mi hermano llegó al lado derecho de la cama. Miré a mi madre y le dije: "Mamá, he visto a Jesús tres veces. La primera vez me dijo: "No, no es tu momento. Regresa". La segunda vez Jesús dijo: "No, no es tu momento. Regresa". Entonces le dije a mi madre: "Jesús me dijo por tercera vez: "No, NO ES TU TIEMPO. ¡VUELVE!" y les dije que había llorado. Se limitaron a sonreír cuando les conté lo que había visto. También les tenía unas palabras qué decirles a cada uno de ellos por parte de Jesús. No puedo compartirles lo que Él me hizo compartir con ellos. Ellos son los únicos a quienes puedo decirles lo que Jesús les dijo. Les conté la historia de ver a Jesús tres veces, y diciéndome que no era mi momento y que regresara, una y otra vez.

Gracias, Gracias, Gracias....

Una vez más, repetiré que sé que todo es PERFECTO donde está Jesús y no hay TACHA alguna.* Algunos dicen que el Cielo es la paz, pero supera a creces la paz terrenal que entendemos porque no hay nada por la cual buscar la paz en el Cielo.* Cuando estuve por primera vez ante Jesús, todo lo que pude hacer fue decir: "¡¿Hiciste esto por mí?! GRACIAS, GRACIAS, GRACIAS, GRACIAS, GRACIAS, GRACIAS, GRACIAS, Y GRACIAS!"* Podría haber dado gracias durante los siguientes 3,000 años o más, y aún así, habría querido seguir dando gracias.

Jesús es deslumbrante y los que somos justificados ante Él podemos estar frente a Él. Es más brillante que nuestro sol, pero aún podemos verle. No hay tacha alguna, todo es perfecto. Cuando digo que todo es perfecto, quiero decir que todo es perfecto. Parece que aquí en la Tierra pensamos que hay paz donde está Jesús. Y en verdad, necesitamos la paz que da Jesús por el tanto dolor que hay en este mundo. Esta es nuestra actual realidad.

JUAN 14:1-6 (RVC)

"No se turbe su corazón. Ustedes creen en Dios; crean tam-bién en mí. En la casa de mi Padre hay muchos aposentos. Si así no fuera, ya les hubiera dicho. Así que voy a preparar lugar para ustedes. Y si me voy y les preparo lugar, vendré otra vez, y los llevaré conmigo, para que donde yo esté, tam-bién ustedes estén. Y ustedes saben a dónde voy, y saben el camino.» Tomás le dijo: «Señor, no sabemos a dónde vas; ¿cómo podemos saber el camino?» Jesús le dijo: «Yo soy el camino, y la verdad, y la vida; nadie viene al Padre, sino por mí".

Cuando llegué al Cielo, lo único que quería o podía hacer era alabar a Jesús.* Nadie tenía que decírmelo. Yo sabía qué hacer. Sabía que alabamos a Jesús y al Padre Dios, a nadie más.* Los únicos que reciben alabanza son el Padre y Jesús. Ellos SON LOS ÚNICOS.*

¿Dónde estaba el Espíritu Santo?

Necesito detenerme y decir aquí mismo, que no mencioné al Espíritu Santo porque su trabajo principal del Espíritu Santo está aquí en la Tierra. No es que Él no esté ahí. Después de todo, Jesús dijo a sus seguidores a través de su Palabra que el Espíritu Santo estaría con ellos siempre.

JUAN 14:16 (RVC)

"Y Yo le pediré al Padre, y les dará otro Consolador para que los acompañe siempre."

Así que tenía al Espíritu Santo morando conmigo en el Cielo, y Él seguía morando dentro de mí. He dicho esto muchas veces a la gente. ¡Si nosotros, que conocemos a Jesús como Señor y Salvador, sólo entendiéramos a quién tenemos dentro de nosotros! Tenemos la PLENITUD de Dios dentro de nosotros. Algún día ese puede ser el tema de otro libro.

Alabarlo era todo lo que necesitaba

Todo lo que había dentro de mí lo alababa.* Todo de lo que estaba hecho se lo declaraba en alabanza a Jesús. No mi cuerpo, por supuesto, ya que se había quedado aquí en la Tierra, sino mi espíritu y mi alma, el verdadero yo, adoraba con todo mi ser.*

A veces le digo a la gente que si hubiera tenido 10,000 bocas, todos habrían estado alabando al Padre y a Jesús en ese momento. Durante esta alabanza, parecía que me estaba convirtiendo en el AMOR de Dios.* Sentí sólo ALEGRÍA. Me pareció que el alabarle era lo único que necesitaba para sustentar mi vida.* No necesitaba comida. Alabarle parecía ser todo lo que necesitaba. Él había satisfecho todas mis necesidades.* Lo digo porque todo estaba bien. Todo estaba bien conmigo, justo con cada ser vivo a mi alrededor, y justo con mi relación con Dios.

Cuando estás en el Cielo con Jesús no piensas en lo que dejaste aquí en la Tierra. Piensas en lo que Él hizo para que hiciera posible el Cielo. Entonces le dije: "¡Hiciste esto por mí! Muchas gracias, gracias y gracias", estaba pensando en cómo murió en la cruz por mí y debido a esa acción, estuve allí con Él. No por lo que hice, sino por lo que Él hizo por mí cuando lo acepté como mi Señor y Salvador.*

Vi a Jesús en la cruz

Recuerdo haber visto a Jesús y verlo colgado en la cruz por mí. Él no estaba realmente colgado en la cruz, pero de alguna manera en ese momento pude verlo así dentro de mi pensamiento. Sabía que lo que Él hizo en la cruz fue por mí.* Sabía que lo sabía.* La única razón por la que estaba en el Cielo con Él era por lo que había hecho por mí, y lo sabía. Sabía que estaba completo y perfecto por lo que Él había hecho.* Sabía que se veía a sí mismo en mí y que se me permitía entrar en el Cielo. Sabía que ninguna de mis obras había hecho esto. Eran todas sus obras, incluso las buenas obras que había hecho era su trabajo a través de mí.* Parecía que el Cielo estaba hecho sólo para mí. Sabía que era para los demás también, pero en ese momento, parecía como si se hubiera hecho sólo para mí.*

Mi casa, mi espacio

Llegué a comprender realmente lo que Jesús quiso cuando dijo: "Voy a preparar un lugar para vosotros" (Juan 14:2). Sabía que estaba en mi lugar y que nadie podía ocupar mi lugar.* Jesús me amaba tanto que hizo un lugar sólo para mí y nadie más podía ocupar ese lugar o mi espacio.

JUAN 14:2 (RVC)

"En la casa de mi Padre hay muchos aposentos. Si así no fuera, ya les hubiera dicho. Así que voy a preparar lugar para ustedes."

Lugar: Griego: topos, Definición: 1) lugar, cualquier porción o espacio marcado, como lo fue desde el espacio circundante 1a) un lugar habitado, como una ciudad, pueblo, distrito 1b) un lugar (pasaje) en un libro, 2a) la condición o estación en poder de uno en cualquier empresa o montaje 2b) oportunidad, poder, ocasión para actuar, un lugar (general en el espacio, pero limitado por la ocupación).

No tenía memoria del pecado

Otra razón por la que pregunté, "Hiciste esto por mí?", es porque sentí que nunca había pecado en toda mi vida.* Sabía que me habían liberado de la verdadera muerte (pecado), y no podía alejarme de Jesús y del Padre.* No tenía ningún recuerdo de pecado en absoluto,* y sabía que Jesús tampoco me lo rememoraría, porque fui perdonado y Él ya había olvidado mis transgresiones.* Una vez más supe que sabía que lo sabía!*

¡Sé que no quería dejar un lugar así! No era que no amaba a mi esposa, hijos, otros familiares o amigos. Fue porque todo estaba bien en el Cielo, como dije antes. Sabía que nunca podría separarme de mi Padre y Jesús,* y llegué a entender que la verdadera muerte es estar separados de la presencia de Dios. También me di cuenta que nadie podía hacerme daño en este lugar.*

Capítulo 4

Perseverando

M arilyn, mi esposa, trabaja en esos momentos con personas de la tercera edad, como asistente de actividades. Ella ha trabajado en el campo médico durante los últimos 34 años en una serie de puestos: Auxiliar de Enfermería Certificado, Técnico de Endoscopia, Gerente de Hogar Familiar para adultos, Asistente de Fisioterapia y Asistente de Atención Médica en el Hogar. En el momento de este incidente trabajaba con una organización que la contrató para trabajar en hospitales y residencias de ancianos locales. Ella es la que dirigió la tarea de orar para que volviera a la vida en esta Tierra. La llamo la "General de la Oración". Estás a punto de leer su relato de lo que pasó y de cómo luchó para que volviera a este mundo. En su historia hay 10 claves bíblicas para ganar una batalla con el diablo y su ejército de demonios. ¡Obviamente, ella ganó!

El testimonio de Marilyn

Jueves, 4 de mayo—Descubrí que Dean estaba en la sala de emergencias del Hospital St. Francis a las 12 del mediodía después de revisar mi buzón de voz. Una de las enfermeras había dejado un mensaje diciéndome que necesitaba recoger a Dean y llevarlo a casa. Estaba trabajando en otro hospital y le dije a la enfermera que tenía que irme.

Cuando llegué al hospital, Dean estaba dormido por el analgésico que le habían dado. El médico de la sala de emergencias me dijo que Dean tenía cálculos renales e infección renal. La piedra que se encontraba en lo alto de su lado derecho del riñón era la que le causaba más dolor. El médico sugirió que Dean pasara la noche con el fin de que le suministraran antibióticos y suero de manera intravenosa. Dean estaba semiconsciente durante la conversación debido a los sedantes que le habían dado para mitigar el dolor.

Más tarde esa noche, el urólogo o especialista de los riñones vino a la habitación para hablar con Dean y conmigo. Nos dijo que sería una buena idea que los cálculos renales se eliminaran mediante sondas de ultrasonido el viernes por la mañana y así Dean no tendría que soportar todo el dolor. Estuvimos de acuerdo, pensando que Dean estaría en casa al día siguiente. Cuando salí del hospital esa noche, Dean tenía fiebre, tenía escalofríos y dormía por ratos.

Viernes por la mañana, 5 de mayo—Dean todavía no estaba consciente de mucho de lo que pasaba debido a los medicamentos que le estaban dando y a una fiebre de 104 grados Fahrenheit (40 grados centígrados). El doctor aún así planeaba seguir adelante con la cirugía. Cuando entramos en el área de espera de la cirugía para obtener respuestas a preguntas que podríamos haber tenido, Dean preguntó si el proceso había terminado, cuando ni siquiera había entrado en el quirófano todavía.

Después de la cirugía, Dean estuvo en recuperación durante casi tres horas. Pude pasar la última media hora con él en la sala de recuperación. Fue en ese momento que el médico que había administrado el analgésico de Dean mientras estaba en cirugía entró en la habitación. Me dijo que Dean tenía una infección muy grave y que tenía que ir a la Unidad de Cuidados Intensivos (UCI) para recibir suero, más antibióticos y estar en observación. Pude hablar con mi marido mientras él estaba en recuperación. Se quejaba de que la máscara de oxígeno era incómoda, y así, las enfermeras se la cambiaron.

Dean también estaba conectado a varias bolsas de suero intravenosas en su brazo.

Después de que Dean fuera trasladado a la UCI, el médico de allí nos dijo a los dos que querían poner una vía PICC en su cuello para poder quitarle algunas de las vías intravenosas del brazo. Una línea PICC haría más fácil si necesitaran extraer sangre para los análisis que se necesitaban. Dean estaba consiente de lo que se le iba a suministrar. Me fui cuando empezaron este procedimiento.

Regresé a la habitación, despúes de ser convocada por la enfermera. La línea PICC ya estaba dentro, pero en el pecho de Dean, no en su cuello. Miré a mi esposo y pude ver que apenas respiraba y que sus labios se veían suaves o grises. Pregunté qué había pasado y el médico me dijo que había llegado a una obstrucción en el cuello de Dean. Me dijeron que tenían que intubarlo, le pondrían un tubo en la garganta de Dean, inmediatamente, o de lo contrario podría morir.

En ese momento vivíamos a unos cinco minutos del hospital, así que cuando empezaron este procedimiento, me fui para recoger algunas cosas. Estaba orando en el camino, por supuesto, y mientras conducía, el cirujano me llamó a mi teléfono celular para decirme que mi esposo había caído en gravedad. Su corazón se había detenido. Le estaban practicando Reanimación Cardiopulmonar. Todo lo que pude exclamar fue: "¿Qué?".

Llamé a nuestro hijos, Gabriel y Tiffany, que estaban en la universidad, para decirles que oraran por su padre. Continué en casa, orando más intensamente y llamando a otros pidiéndoles que oraran también. Llamé a una amiga que se dirigía al hospital y me dijo que vendría a recogerme a casa.

Clave 1: Marilyn primero se acercó a aquellos que creía que se detendrían y orarían. Necesitaba oración, ella necesitaba oración y los médicos necesitaban oración. Más adelante en este libro les hablaré de esas oraciones. Las vi cuando iba al Cielo y cuando volvía del Cielo.

Cuando mi amiga y yo volvimos al hospital, no vimos a Dean de inmediato porque los médicos seguían trabajando en él. Le llamé a los padres de Dean que habían estado visitando a unos parientes en Texas. Tuvieron que volver a California antes de venir a Washington. Hablaron con el doctor y vinieron tan rápido como pudieron. Los médicos trabajaron en Dean durante 1 hora y 45 minutos. Fue durante este tiempo que muchos amigos se presentaron en la sala de espera y oramos juntos, con fe por Dean. Después de orar, me sentí obligado a cantar un canto de alabanza y a glorificar al Señor.

Clave 2: En medio de la tormenta, Marilyn alabó a Dios. Comenzó a afirmarse en Dios y a no huir de Él.

El doctor me dijo lo difíciles que eran las cosas con Dean. Estaba haciendo todo lo que podía hacer por Dean, y sabrían más por la mañana. Ahora era el momento de orar y confiar en Dios. Sabía que muchas personas en muchos lugares del mundo oraban por Dean. Los que estábamos en el hospital nos unimos a este coro de declaraciones, alabanzas y agradecimientos. No exigimos a Dios que hiciera algo, no le rogamos, sino que pedimos al Padre en nombre de Jesús la curación. Agradecimos al Señor Dios que Dean fuera curado por las heridas de Jesús de acuerdo con su Palabra. Me negué a albergar dudas, pero en cambio confié en la Palabra de Dios por sus promesas sobre la vida de Dean.

Sabía que tenía acceso al Trono de la gracia y que podía ir con valentía como hija del Altísimo. No sólo pedí, sino que agradecí al Señor por lo que estaba haciendo en Dean, aunque las circunstancias parecían malas. Me propuse en el corazón no culpar a Dios, porque la Palabra dice que es el diablo el que viene a robar, Matar y destruir. Jesús viene a dar abundante vida (Juan 10:10) y yo clamé esa vida por mi esposo".

JUAN 10:10 (RVC)

"El ladrón no viene sino para hurtar, matar y destruir; yo he venido para que tengan vida, y para que la tengan en abundancia.".

Clave 3: Marilyn tuvo una estrecha relación con Dios antes de que ocurriese este incidente. Leía su Biblia y oraba continuamente. Ella sabía lo que la Biblia decía sobre esta situación. Ella sabía que Jesús vino a dar abundante vida y que Satanás vino a robar, matar y destruir. Fue a la batalla sabiendo lo que su Dios vino a hacer por mí. Él vino a dar vida abundante y en ese momento yo no estaba viviendo esa vida.

Esta situación a la que me enfrentaba era tan confusa y repentina. A veces casi se sentía irreal y soñador, una pesadilla sin duda. Dean había estado bien esa mañana. Sí, había estado sufriendo por los cálculos renales, pero ahora unas horas más tarde, estaba luchando por su vida. Su cuerpo ya se estaba llenando de los fluidos de todas las intravenosas que le estaban administrando Ahora tenía varios medicamentos, incluyendo insulina. Sentí la necesidad de ir a casa y ORAR. Sabía que necesitaba luchar contra el enemigo porque no sabía lo que traerían el resto de la noche o los próximos días.

Cuando llegué a casa, lloré. Le di las gracias al Señor por lo buen esposo que era Dean, por el apoyo que siempre había recibido de parte de mi esposo. Le di gracias al Señor que Dean había sido un buen padre para nuestros hijos. Ordené a los ángeles de Dios para que acamparan alrededor de Dean. Creo que hay poder en la sangre derramada de Jesús, y cubrí a Dean continuamente en esa sangre. No hace falta decirlo que no dormí mucho esa noche, y a la mañana siguiente, me encontré en el suelo, todavía orando en el espíritu. Hice esto por las próximas tres mañanas.

Sábado por la mañana, 6 de mayo—Debido a que el conteo de azúcar en la sangre de Dean era de 500 mg/dl. Me dijeron que necesitaba ser trasladado a un hospital diferente, Tacoma General, para estar en diálisis renal continuamente. Sus riñones no habían funcionado en absoluto durante la noche, por lo que ahora, su cuerpo estaba entrando en un shock séptico. El cuerpo de Dean se encontraba muy hinchado por los fluidos. Estaba con ventilación al 100%, lo que significaba que una máquina hacía la respiración por él. Ese día, Dean fue trasladado con todos los aparatos a los que estaba conectado en ambulancia con una enfermera para cuidarlo.

Más tarde, descubrí que incluso a través de esta reubicación, el Señor estaba velando por Dean. Iban a trasladar a Dean a otro hospital. La mayoría de las veces un paciente que venía del hospital San Francisco iba al hospital hermano local más grande, el Hospital St. Joseph en Tacoma. Dean, en cambio, fue trasladado al Hospital General de Tacoma. Cuando estaba hablando con el supervisor de las enfermeras que estaba a cargo ese día, descubrí por qué. Debido a que había trabajado en Tacoma General antes, la conocía. Se sorprendió mucho de que Dean fuera mi esposo y se alegró mucho de haber elegido llevarlo al Tacoma General Hospital.

Ella dijo que cuando recibió la llamada ese día para llevar a una paciente crucialmente enferma del Hospital St. Francis, sabía que debía hacerlo. Así que, como supervisora de enfermería, aceptó a Dean como paciente y cuando la enfermera a cargo le preguntó por qué lo hacía, dijo: "No lo sé, pero sentí que debíamos hacerlo". ¡El Señor es tan bueno!

Dean tenía una muy buena enfermera de servicio esa mañana. La enfermera fue muy positiva, y sabía que ella y yo nos llevaríamos bien. Dean fue puesto en diálisis de inmediato. Se quedó acostado sin saber qué estaba pasando. Muchas personas vinieron a orar por él y muchas otras se pusieron a mi disposición si necesitaba algo. Me negué a aceptar un informe negativo. No negué que hubiera informes negativos, pero me negué a aceptarlos y a que esos informes fueran la respuesta definitiva. Elegí creer en el informe del Señor. Un médico me dijo que podría pasar mucho tiempo antes de que Dean volviera a ser él mismo, y que podría existir la posibilidad de daños cerebrales. Le respondí que no tenía que ser así, Dean no tenia que pasar mucho tiempo para regresar a ser él mismo de nuevo.

Clave 4: Marilyn escuchó lo que el médico le dijo, y no discutió con él su diagnóstico, pero mantuvo su mente en lo que decía la Biblia. Los médicos estaban haciendo lo mejor que podían, pero Marilyn sabía que Jesús podría hacerlo mejor. Así que se quedó con lo que Jesús le dijo. Cuando llegué a casa esa noche, oré por Dean por un largo tiempo, tendida en el suelo y en voz alta. Le dije al diablo que venía a robar, matar y destruir, que quitara sus manos de mi esposo. Sentí que mi cuerpo ardía mientras el sudor goteaba sobre mi camisón. Mi camisa se mojó tanto que me la quité y la puse en una silla. Llevé la camisa conmigo al hospital a la mañana siguiente y se la coloqué en la cabeza a Dean.

HECHOS 19:11-12 (RVC)

"Dios, por medio de Pablo, hacía milagros tan extraordinarios que muchos le llevaban los paños o delantales de los enfermos, y las enfermedades desaparecían y la gente quedaba libre de espíritus malignos."

Clave 5: Marilyn estaba actuando sobre lo que había leído que Pablo había hecho en la Biblia. Ella sabía que el poder de Dios estaba sobre ella la noche anterior y quería que ese poder se transfiriera a mí. Ella había leído en la Biblia cómo el poder curativo de Dios se transfería a través de la ropa, y la gente se curaba como resultado.

Tiffany y Gabriel también estaban en oración constante. Habían puesto a su padre en una cadena de oración con varios de sus amigos de la escuela. Oraban y se mantenían en estrecho contacto conmigo todos los días.

No quería que se hablara nada negativo sobre mi esposo o sobre él, ni quería que se orara ninguna oración negativa o desesperada. Recuerdo haberle dicho al Padre: "¡Cancelo cada palabra y oración negativa que se habla sobre mi esposo en el nombre de Jesús!" Realmente no quería que nadie sintiera lástima por Dean, o pensara que no había esperanza. ¡La muerte y la vida están en el poder de la lengua, y me aseguré que mi lengua hablara vida, porque LA

PALABRA DE DIOS ES VIDA! No tuve tiempo de sentir lástima por Dean, y no me dio tiempo a sentir lástima por él. Sentí que estaba en una batalla y quería ganar".

PROVERBIOS 18:21 (RVC)

"El que ama la lengua comerá de sus frutos; ella tiene poder de la vida y la muerte"

Clave 6: Marilyn me protegió de las personas y oraciones negativas.

Clave 7: Marilyn estaba en esta batalla por ganar y cualesquiera que fueran los sacrificios que se necesitaron, estaba dispuesta a hacerlos.

Domingo, 7 de mayo—Se nos predicó la Palabra de Dios a algunos de nosotros en la sala de espera, y cantamos alabanzas. Aún no nos rendíamos ante Dean. Mi hija me llamó y me dijo que leyera Salmos 40. Mi hijo llamaba todos los días para hablar con el médico o la enfermera sobre la condición de su padre. Hubo un tiempo en que la idea vino a mi mente, "prepara el funeral". Inmediatamente, llevaba ese pensamiento cautivo a Cristo y y le decía al diablo que era y es un mentiroso. Seguí dando gracias a Dios por su promesa en Salmos 103:3, por perdonar todas las iniquidades de Dean y sanar todas sus enfermedades.

SALMOS 103:3 (RVC)

"El es quien perdona todas tus iniquidades, El que sana todas tus dolencias".

¡GLORIA! Dean respondió este día, pero no lo recuerda. Abrió los ojos y miró a su alrededor como para decir: "¿Qué está pasando?" Le dije que lo amaba, y también lo hizo uno de nuestros amigos que estaba conmigo en ese momento. La enfermera no quería que Dean se emocionara demasiado, por lo que aumentó el sedante que luego lo puso a dormir nuevamente.

Clave 8: Marilyn mantuvo su mente en la Palabra de Dios, incluso cuando no las cosas no se veían nada bien para mí. Tomó el control de su pensamiento y lo cumplió con las promesas de Dios.

Lunes, 8 de mayo- los padres de Dean están aquí. ¡Alabado sea Dios! Durante los siguientes días, mi suegra y yo le cantamos a Dean, leí Santiago 5:13-15 y lo ungimos con aceite. A veces el padre de Dean se iba a otro lugar a orar.

SANTIAGO 5:13-15 (RVC)

"¿Hay alguien entre ustedes, que esté afligido? Que ore a Dios. ¿Alguno de ustedes está de buen humor? Que cante alabanzas. ¿Hay entre ustedes algún enfermo? Que se llame a los ancianos de la iglesia, para que oren por él y lo unjan con aceite en el nombre del Señor. La oración de fe sanará al enfermo, y el Señor lo levantará de su lecho. Si acaso ha pecado, sus pecados le serán perdonados."

Estaba cansado en el cuerpo, pero mi espíritu era fuerte. Una noche estaba tan cansada que cuando llegué a la casa y apagué el coche, eché la cabeza hacia atrás y me quedé profundamente dormida. Cuando desperté, entré en la casa y oré. Necesitaba su fuerza para continuar. Todo esto había sucedido tan rápido e inesperadamente. ¿Cómo podría algo tan menor resultar ser tan importante, tan repentinamente? Continué afianzándome aún mas al Señor.

Clave 9: Marilyn siguió afianzada a Dios y confiando en la fortaleza de Dios.

Durante los últimos días, los médicos vieron a Dean mejorar y luego regresar a donde había estado antes. Un día tendría fiebre. Así que lo llevarían a hacerse una tomografía computarizada para ver si la infección se había propagado, y la prueba volvería negativa. Su recuento de glóbulos blancos aumentaría y el potasio sería bajo. Un día bajaría un 50% en el respirador, y esa noche podría volver a subir. Aún así confiaba en Dios. Dean estaba con seis medicamentos distintos. La mayoría de estos medicamentos eran para su presión arterial. Los médicos me dijeron que uno de los medicamentos era perjudiciales para la salud de Dean. Uno de nuestros amigos oró por Dean con tanta compasión que besó los pies de Dean mientras oraba por él. No tenía idea de la condición de los pies de mi esposo. Los dedos de los pies de Dean estaban morados y negros por la medicina, y había perdido la sensibilidad en ellos. Más tarde nos enteramos de que los médicos planeaban cortarle los dedos de los pies.

Martes, 9 de mayo—La sanación de Dean se estaba dando lugar rápidamente. Sorprendió a los médicos y enfermeras y al personal que sabía de su caso. Un médico decía: "Está mejorando, pero todavía tenemos que tomarlo con calma". Otro médico diría: "Vaya, ha mejorado entre un 200 y un 300% en tan poco tiempo".

Aún sucedieron muchas cosas mientras el cuerpo de Dean sanaba. La enfermera estaba muy feliz cuando Dean podía seguir sus direcciones y se lo dijo al médico al día siguiente. La noche del 9 de mayo, llegué a casa y me propuse en mi corazón pasar toda la noche orando por Dean. Al día siguiente me enteré que un amigo había dicho que estaba cansado de la situación, por lo que también estuvo orando toda la noche.

Miércoles 10 de mayo por la mañana—Cinco jóvenes de la escuela preparatoria se presentaron para orar por Dean durante el horario escolar. Estos chicos tocaron el corazón del enfermero de guardia, dijo que nunca olvidaría la oración, el amor y la presencia que sintió en la habitación mientras oraban.

Este día también le quitaron el respirador y la diálisis. Las enfermeras le preguntaron a Dean si sentía algún dolor, y él negó con la cabeza. También le explicaron el procedimiento para retirar el tubo de respiración, y que habría que administrar otro tratamiento respiratorio media hora después para determinar si podía permanecer sin el respirador.

Las enfermeras nos dijeron a mis suegros y a mí que nos tomara un largo descanso para almorzar. Antes de irme a almorzar, hablé al oído de Dean y le dije: "¡Respira por mí, respira por tus hijos y respira por tus amigos, RESPIRA!". Asintió con la cabeza, sí, pero tenía una mirada desconcertada en su rostro, como queriendo decir: "¿Qué pasó?" Dean tenía esta mirada antes, pero no podía hablar debido al tubo. Para entonces, Dean sólo tomaba uno o dos medicamentos. ¡Alabado sea Dios! Salmos 68:35 fue una de las Escrituras a las que me aferré. Necesitaba la fuerza de Dios y su poder continuamente.

SALMOS 68:35 (RVC)

"En su santuario, Dios es imponente; ¡el Dios de Israel da fuerza y vigor a su pueblo! ¡Bendito sea Dios!"

Clave 10: Marilyn conocía al Dios cuyo poder y fuerza la estaban ayudando a través de estos largos días y noches.

Al regresar al hospital después de un gran almuerzo con uno de nuestros amigos, fue increíble ver a Dean sentado en la cama. Fue bueno escuchar su voz nuevamente. ¡Fue una gran celebración! Muchas de las enfermeras que tuvieron a Dean como paciente vinieron a celebrar su recuperación. Las enfermeras se alegraron de ver a alguien que había salido adelante. También fue un final feliz para lo que fue la Semana de la Enfermera. Otro personal vino también a ver los avances que Dean había hecho. La única palabra que se utilizó para describir a Dean fue: "Milagro", ¡y vaya si lo sabíamos! Algunos trabajadores que vinieron a visitarlo un par de días más tarde incluso lo llamaron el "Hombre Milagroso". A estas alturas, los fluidos salían del cuerpo de Dean y sus riñones funcionaban bien.

Entonces Dean hizo la gran pregunta: "¿Podrías sentarte y decirme qué me pasó?" Cuando se lo dije, lloró y, por supuesto, se lo dije más de una vez. Quería saber cada detalle. Realmente le conmovió saber que tanta gente se preocupaba y oraba por él. Se sintió especialmente conmovido por los que oraron a los que nunca habíamos conocido, y a algunos que aún no hemos conocido. Dean pudo sentarse ese día durante unos 15 minutos en una silla. Esta fue la primera noche que me quedé con él. Yo fui su enfermera esa noche.

14 de mayo, Día de la Madre— Dean fue trasladado a otro piso. Caminó por el largo pasillo hasta la sala de visitas de la familia a pesar de no poder sentir los dedos de los pies. Los médicos todavía estaban asombrados del milagro que había tenido lugar ante sus ojos. Dean pasó 13 días en el hospital, y 9 de esos días estaban en la sala de emergencias. "Confesaos vuestras ofensas unos a otros, y orad unos por otros, para que seáis sanados. La oración eficaz del justo puede mucho" (Santiago 5:16). Le damos a Dios Todopoderoso toda la gloria porque Él es fiel a su Palabra.

16 de mayo—Dean volvió a casa. Descansó y se recuperó durante un mes y medio. Luego regresó al trabajo, pero sólo por medio día durante 5 semanas. Los dedos del pie de Dean ya estaban completamente curados.

No estaba tomando ningún medicamento para esta fecha. Después de esas 5 semanas, comenzó a trabajar a tiempo completo. Dean se ha sometido a varias revisiones y pruebas desde que está en casa y los médicos le han dado el visto bueno. Un médico le dijo a Dean que debía contar la historia del milagro de que aún está vivo. Otro médico le dijo a Dean: "Mucha gente oró duro por ti". Otro dijo: "Estaba tan asustada. No he tenido tanto miedo en mucho tiempo porque las cosas sucedieron tan rápido".

Dean ha regresado al hospital para visitarlo y el personal todavía proclama lo que pasó como un milagro. Incluso le pidieron que viniera un día a hacer rondas con los médicos, para que otros en el hospital pudieran verlo. Mucho más tarde descubrimos que cuando el médico eliminó los cálculos renales, los venenos de la infección entraron en el torrente sanguíneo de Dean y provocaron que sus órganos vitales dejasen de funcionar. Una enfermera nos dijo más tarde que este tipo de casos suelen tener un mal resultado. Salmo 14:1 dice, el tonto ha dicho en su corazón: "No hay Dios". Bueno, hay un Dios. Está vivo, y los milagros ocurren. ¡Él es el Gran Jehová, Dios Todopoderoso, Señor de los Lores y Rey de Reyes! Bendigo a los lectores de este testimonio en el nombre de Jesús. Mi oración por ti es que tomes tu cruz y sigas a Jesús diariamente; que vivas una vida que le agrade; que Él se convierta en el amante de tu alma, como lo es de la mía.

En el nombre de Jesús, Marilyn Braxton

Capítulo 5

He visto a Jesús

Anthony es amigo de Marilyn y mío. Le habíamos conocido a él y a su esposa cuatro meses antes en un "bed and breakfast" de una pequeña ciudad de Washington. Él y su esposa son pastores en una iglesia en Tacoma, Washington. También trabajó en el Hospital General de Tacoma en máquinas de soporte vital. Ese día le asignaron ayuda para sacarme de la máquina que me ayudaba a respirar. Recuerdo que le dije: "He visto a Jesús", y que fuera a decírselo a todos sus conocidos. Cuando se lo dije, se limitó a mirarme con una gran sonrisa y a decir: "Sí, sí, sí", con lágrimas rodando por sus mejillas.

Jesús es resplandeciente

¿Cómo era Jesús? Todo lo que puedo decir es que Jesús es resplandeciente.* ¿De qué color es? Supongo que diría resplandeciente nuevamente, porque Él no era un color real en absoluto, ya que conocemos los colores aquí en la Tierra. Era más brillante que nuestro sol en una tarde calurosa y, sin embargo, podía verle.* Me parecía que si un ser no estaba bien con Él, ese ser podía ser incinerado por su resplandor y experimentaría terror verdadero.* Aquellos que estaban justificados por Él podían verle cara a cara y experimentarían una alegría perfecta.* Tenías que mirarlo con un corazón puro.* Otra vez, fue más que paz lo que sentí en el Cielo porque simplemente no hay nada que aceche la paz en el Cielo.

Sus pies

Vi los pies de Jesús. Son como dijo Juan en Apocalipsis 1:15.* Sus pies parecían de metal, de oro, de plata, de estaño y de muchos más colores de metales, pero la luz que los rodeaba realmente desprendía el brillo del latón fino. Sabía que esta era la gloria de Jesús. Él aún tiene las heridas de donde le clavaron sus pies.* Pero lo que realmente me causó una impresión fue el amor que sus pies me mostraron. Él me amaba tanto que no tenía que mirar Su rostro para experimentar el amor que Él tiene por mí. No tenía que ver otra parte de Jesús para saber cuánto me amaba. Sus pies expresaron su amor por mí. Si todo lo que vi fueran sus pies, todavía sabría que Él me amaba. No era sólo que me amara, sino que era como si fuera el único al que amaba en toda su creación.* Sabía que amaba a los demás, pero parecía que yo era el único. Me gusta decirle a los demás que sus pies me amaban.

Sus manos

Después miré sus manos y experimenté este mismo amor. Sí, se pueden ver las heridas de los clavos hechas en sus manos.* Pero nuevamente, era el amor que salía de ellas hacia mí lo que expresaba su amor por mí. Si sólo hubiera visto Sus manos y no otra parte de Él, todavía habría sabido cuánto me ama. A veces, al contar esta parte de la historia a los demás, les pongo la mano en la cara diciéndoles que si todo lo que vieras fuera su mano, su mano diría: "Te amo y sólo a ti". Sabrías que Él ama a los demás, pero seguiría pareciendo que sólo te ama a ti.

Algunas personas sólo han sonreído, otras han llorado y otras sólo han podido decir: "¡WOW!".

Su cuerpo

Tal como dice la Biblia en 1 Juan 4:7, Dios es amor.* Al mirar las otras partes de su cuerpo, experimenté una y otra vez, el amor de Jesús sólo por mí, viniendo de todas esas partes diferentes del cuerpo. Su cuerpo sólo podía expresar su amor por mí. Vi por lo que pasó el cuerpo de Jesús sólo para mí y para ti. Vi lo que me costó estar allí y tener una relación con Dios Todopoderoso. No me había dado cuenta antes de que esto ocurriera, de lo grande que fue el costo en dolor del cuerpo físico de Jesús, que nos permitió a mí y a ti tener una relación con Dios.* Él todavía lleva las cicatrices de lo que sufrió por nosotros. Esto se describe mejor en el libro de Isaías.

ISAÍAS 52:14-15 (RVC)

"Como se asombraron de ti muchos, de tal manera fue desfigurado de los hombres su parecer, y su hermosura más que la de los hijos de los hombres, así asombrará él a muchas naciones; los reyes cerrarán ante él la boca, porque verán lo que nunca les fue contado, y entenderán lo que habían oído.

El cuerpo de Jesús me mostró por qué tenemos derecho a tener una relación con Dios; por qué los que conocemos a Jesús como Señor y Salvador, tenemos derecho a vivir para siempre con Dios; por qué tenemos derecho a estar en el Cielo y no en el infierno. Jesús es más hermoso, maravilloso y glorioso de lo que puedo explicar. En el Cielo dejas de verle con tus ojos terrenales y comienzas a verle desde tu corazón. Llegas a verle como Él es.* Llegué a entender que Él aboga por nosotros ante el Padre Dios con todo su ser.*

1 JUAN 2:1 (RVC)

"Hijitos míos, les escribo estas cosas para que no pequen. Si alguno ha pecado, tenemos un abogado ante el Padre, a Jesucristo el justo."

Su rostro

Estaba de rodillas mientras miraba a la cara de Jesús. ¿Cómo describirte cómo es su rostro? Su rostro era como si fuera vidrio de cristal líquido compuesto de amor puro, luz y vida. No digo que su cara fuera esa, sino sólo que eso es lo que me pareció a mí. Su rostro parecía cambiar al mirarlo. La forma de su rostro parecía cambiar varias veces al mirarlo. Jesús tenía un rostro como el de la mayoría de los humanos, pero en cambio parecía cambiar en diferentes rostros de apariencia humana.* No eran grandes cambios, pero cada vez que lo miraba, su rostro parecía cambiar. Sé dentro de mí que este cambio fue muy importante, pero en este momento no tengo las palabras para decir lo que realmente significa. Su rostro tenía los colores del arco iris y los colores que no puedo describir dentro de él.* Todos estos colores aparecieron al mismo tiempo en su cara. Ha sido difícil explicar el Cielo. Sé cómo Juan y otros se sintieron tratando de poner a Dios en palabras humanas.

Su rostro estaba cambiando y todos los colores estaban en su rostro. Estos colores estaban cambiando todo el tiempo y eran brillantes. Eran parte de Jesús, y sin embargo, dejarían Su ser, los colores estaban vivos en sí mismos. Salieron de Él y se desprendieron de Él como las olas del océano fluyen de un lado a otro en la orilla. Estaba viendo los colores, y sin embargo, yo era parte de los colores.* Yo estaba en los colores, y los colores estaban saliendo de mí. Estaba viendo a Jesús, y yo era parte de Jesús. Yo estaba en Jesús, y Jesús resplandecía de mí.* Veía el brillo. El brillo estaba a mi alrededor. Yo era parte del resplandor, y el resplandor brillaba de mí.* Todo estaba vivo. Entonces, ¿de qué color es Jesús? Jesús es resplandeciente. No es un color como conocemos los colores. ¡Ver a Jesús fue glorioso! Describir lo que vi y sentí en términos humanos no hace justicia a lo que experimenté en el Cielo.

Cuando estaba mirando el rostro de Jesús, me enfocaba sólo en Él. Sólo quería alabarle a Él. Sabía que eso era lo que uno debía hacer al verlo. Quería alabarlo para siempre.

Su cabeza

En la cabeza de Jesús había una corona que parecía el sol en toda su gloria.* Esta corona era muy brillante, con rayos subiendo y saliendo a la atmósfera del Cielo.*No pude ver ningún final a los rayos. Sabía que los rayos tenían algo que ver con la sanación, pero nuevamente, no he encontrado las palabras o la comprensión para explicar. Los rayos se entrelazan con su cabello. Su cabello era como dijo Juan en Apocalipsis.*

APOCALIPSIS 1:14 (RVC)

"Su cabeza y sus cabellos eran blancos como lana. Parecían de nieve. Sus ojos chispeaban como una llama de fuego."

Para mí, su pelo parecía más que blanco y entubado. Los tubos similares al pelo parecían envolverse alrededor de los rayos. Al mirar su cabello y corona, volví a experimentar Su amor por mí.

Él es amor

Todo en Él es amor.* Sí, es amor para ti, y parece que el amor es sólo para ti. Sabes en tu interior que Él ama a todos, pero su amor por ti es tan personal que parece que es sólo para ti.* Sabes que Él ha cuidado de ti desde el principio y que seguirá cuidando de ti para siempre.* No quieres dejar esta clase de efusión de amor por ti. Su amor está vivo. Es algo más que una emoción.

Su brillo está delante de ti, a tu alrededor, parte de ti y en ti. Y una cosa más, te estás convirtiendo en su amor. Sí, tú eres su amor. Jesús realmente nos ama.

Capítulo 6

Mi Dios es

Antes de leer el relato de mi hija de lo que ella experimentó cuando morí, quisiera compartir un poco de antecedentes sobre Tiffany A. Wright (Braxton). Ella asistía a la Universidad Northwestern, que está cerca de Chicago, Illinois. Ella estaba en su tercer año de su carrera cuando esto me pasó en el 2006. Se graduó con una licenciatura en pedagogía en el año 2007. Ella ha estado caminando con Jesús durante varios años, y ha llevado a muchas personas a Jesús mientras asistía a la universidad. Nuestro Padre Dios la ha bendecido de muchas maneras a lo largo de los años y ésta es sólo una. Al leer, puedes ver que su primer amor es Dios. Lee y disfruta de su historia mientras creces en el conocimiento de nuestro Señor Jesús.

El testimonio de Tiffany

Tengo que decir que mi experiencia con la muerte y la posterior recuperación de mi padre fue durante un momento muy significativo en mi relación con Dios. Admito que hubo momentos en que pensé que podría perder a mi padre durante esos primeros días en el hospital. Pensé en que tal vez nunca me vería casada, y que mis futuros hijos crecerían sin su guía espiritual como un abuelo increíble.

¡Este fue un gran momento de prueba para mí!

Cuando me enteré que mi padre estaba en el hospital, al principio no pensé mucho en ello. Tenía problemas de cálculos renales y había tenido este problema antes. Incluso cuando me enteré de que iba a ser operado, no me alarmé porque en realidad había estado con él cuando los médicos habían extraído cálculos renales años antes. ¡No estaba realmente preocupada hasta que recibí la llamada de mi madre, "Tiffany, ¡tuvieron que practicarle RCP a tu padre! ¡Ora!"

Recibí esta llamada en un "momento de Dios", muy conveniente. Iba a Casa Internacional de Oración en Chicago semanalmente los viernes por la noche. La semana anterior, un hombre vino y habló acerca de que si realmente creemos que Dios es el Dios Viviente. Pasé la semana diciéndome a mí misma "Dios, tú eres el Dios vivo". Mientras meditaba en esta verdad, se hizo muy real para mí, y entonces decidí que no permitiría más cuestiones de duda sobre si Dios es vivo, bueno y/o fiel dentro de mi ser. Recibí la llamada de mamá después de tomar esta decisión.

Inmediatamente llamé a mi novio, Jason, quien ahora es mi esposo. Me dijo que oraría y me recordó afianzarme no de la bondad de Dios, sino de Dios mismo. Afortunadamente, mi buena amiga, Jen, también estuvo allí conmigo. Siempre ha sido esa persona en la que sé que puedo confiar, sea cual sea la situación. Así que le conté lo de papá, y ella no hacía otra cosa más que sonreír mientras oraba conmigo por mi padre. Me dijo que sentía que Dios le estaba diciendo que todo iba a salir bien.

Oré el resto del camino a casa, y toda esa noche no pude conciliar bien el sueño. Cuando desperté, supe que tenía que salir de mi dormitorio, así que realmente podía orar. Afortunadamente, mi amigo Cory, que también había estado con nosotros la noche anterior, iba a la Casa de Oración durante el día. Le acompañé con mucho gusto.

Cuando llegué a la Casa de Oración, me senté un rato, rechazando las dudas y preguntas que inundaban mi mente. Jason me llamó y me dijo que había estado en el bosque orando por mi familia y mi padre todo el día. Una vez más impelió a que yo no dudara que mi padre viviría. Para Jason era tan importante que yo supiera lidiar con las dudas que fuesen surgiendo y me aconsejó que ni las contemplara en mi mente.

Cuando llamé a mamá ese día, tuve la oportunidad de orar por mi padre por teléfono. Mi mamá le puso el teléfono al oído y oré. Este fue uno de los momentos más difíciles de mi vida, y uno en el cual me alegré de no estar allí con él. Entre lágrimas, pude levantar una oración de fe sobre él.

Cuando regresé a Casa de Oración, oré por la sanación de papá aún más, y se recordé el pasaje cuando David pierde a su hijo. David ayuna y ora por su bebé hasta que el bebé muere. Inmediatamente después de morir, David va al templo para adorar al Señor. Al recordar este pasaje de la Biblia, pensé en la confianza de David en Dios sin importar la situación, y en cómo David seguía reconociendo la bondad de Dios a pesar de todo. Realmente escudriñé mi corazón en busca de cualquier error que pudiera guardar dentro.

Estas fueron dos cosas principales que sentí tenía que tratar antes de orar porque quería orar con un corazón puro y un corazón indiviso. No creía que mi padre fuera a morir, pero necesitaba asegurarme que no estaba orando por egoísmo, sino que realmente estaba queriendo que se hiciese la voluntad de Dios. Primero, me aseguré de que no importaba lo que pasara, seguiría orando por los enfermos incluso si mi padre moría. Esto se debió a que necesitaba tener un corazón puro que sirviera solo a Dios y no a los resultados. En segundo lugar, debía tener la convicción de que no culparía a Dios si mi padre llegase a fallecer. Me frenaría de pensar que Dios es malo o infiel a mí o a sus promesas, pasara lo que pasara.

Entonces, empecé a orar. La mayoría de las veces en una simple adoración al Dios vivo. Escribí lo siguiente acerca de Dios al centrarme en su bondad:

"Mi Dios es fiel,
Mi Dios es santo,
Mi Dios mío es maravilloso,
Mi Dios es poderoso,
Mi Dios es magnífico,
Mi Dios es glorioso,
Mi Dios es poderoso,
Mi Dios es victorioso,
Mi Dios es Dios,
Mi Dios reina,
Mi Dios es amor"

Tiffany A. Wright

El 29 de marzo de 2008, llevé a mi hija al altar para que se casara con Jason Gomillion Wright. Ni siquiera yo podría haber elegido a un hombre mejor para casarse con mi hija. Fue un gran día para mí ver a mi hija, Tiffany, casarse. ¡Estoy ansioso de ser el abuelo de sus maravillosos hijos!

Capítulo 7

¿Qué vi en el Cielo?

Cuando morí, supe a dónde ir. No había nadie que me dijera a dónde ir. *Era casi como un salmón viajando de nuevo a casa. Nadie tenía que decírmelo. Cuando llegué allí, supe que debía estar allí. Estaba en el lugar correcto. TODO estaba bien. Estaba justo donde se suponía que debía estar. Estaba en casa. Estaba en casa. ¡ESTABA EN CASA!

¿Cómo se ve esa casa? No es como nuestros hogares aquí en la Tierra. Primero, todo en el Cielo está vivo. Todo tiene vida y no hay nada que este muerto.* Comprendí entonces que la verdadera muerte era no tener al Padre Dios o a Jesús o al Espíritu Santo en nuestra vida.* La verdadera muerte es no tener a Dios como tu Señor y Salvador.

¿De vuelta de entre los muertos?— Por el contrario

Pensaba que cuando uno moría aquí en la Tierra esa era la muerte de la que habla la Biblia. Pero, cuando estás en el Cielo, sabes que la muerte es no tener una relación con Dios. Cuando llegué por primera vez al Cielo, supe de él por lo que hizo, estaba con el Padre y Jesús, y sabía que estaba verdaderamente vivo. Todos en la Tierra siempre dicen que volví de entre los muertos. Por otro lado, incluso algunos dirían bromeando que era un hombre muerto andando. ¡No! Estaba vivo con el Padre y el Hijo.*

MATEO 22:32 (RVC)

"Yo soy el Dios de Abrahán, el Dios de Isaac y el Dios de Jacob." Así que Dios no es un Dios de muertos, sino de los que viven»."

Dios no es el Dios de los muertos, sino de los vivos. Dios no ha dejado de crear vida. Pensaba que se había terminado cuando creó al hombre y a la mujer. Todo tiene vida donde están Jesús y el Padre. No habita en la muerte ni con ella. Nuestro Dios es pura vida, luz y amor. Te conviertes en lo que Él es: vida, luz y amor.* La vida está en todas partes en el Cielo y la vida lo es todo en el Cielo. La vida es el Cielo mismo. Nosotros aquí en la Tierra vivimos con la muerte, y pensamos que hay un final para todo, pero en el Cielo la vida sigue y sigue.

Como dije antes, todo en el Cielo está vivo. Los resplandecientes edificios que parecían luz, pero no eran luz, el paisaje y la atmósfera estaban vivos.* Los edificios se ven casi como vidrios, pero están vivos. Brillan con la gloria del Señor. También pueden moverse de un lugar a otro. Los edificios están en ciudades al otro lado del Cielo. Lo que podríamos llamar "paisaje" estaba vivo. Los árboles, flores, arbustos, hierba, montañas, colinas, valles, lagos, ríos y mucho más estaban vivos aunque no tengo palabras para describirlos.

El Cielo es enorme

Por venir de la Tierra y convivir con la muerte, un pensamiento pasó por mi cabeza: "¿No nos quedaremos sin espacio en el Cielo?". Después de todo, no hay muerte y todo sigue con vida.* Este pensamiento me venía y desaparecía de mi conciencia. No había que responder porque no había que preguntar. Hay más espacio en el Cielo de lo que pensamos. Hay espacio para todo lo que Dios ha creado y creará.

El Cielo es grande, amplio, extenso, espacioso y en expansión.* Nuestro universo es como un fragmento de protones o neutrones comparado con el Cielo. En otras palabras, este universo es muy, muy, muy pequeño en comparación con el Cielo. Llegué a entender que el Cielo siempre se está expandiendo, haciéndose más grande incluso mientras lees este libro. El Cielo parecía no tener fin. Después de un momento, el tamaño del Cielo se volvió sin importancia. Estaba con Jesús. Eso fue todo lo que contaba. Todo lo que puedo decirle a la gente es que donde Dios está, ¡ES GRANDE!*

La distancia y el tiempo

Aunque hay más espacio en el Cielo que aquí en la Tierra, no hay distancia en el Cielo, como la conocemos aquí en la Tierra. Parecía estar lejos de las cosas y, sin embargo, cerca. Me parecía estar cerca del trono del Padre y, sin embargo, muy lejos. Si quisiera estar en otro lugar del Cielo, sólo tendría que pensarlo y estaría allí.* Por ejemplo, si tuviera esa capacidad aquí en la Tierra y quisiera estar alrededor del mundo en China desde Seattle, Washington, en los Estados Unidos, todo lo que tendría que hacer es pensar en China, y estaría allí. Por otra parte, podría estar de regreso en Seattle pensando en Seattle, Washington.

¿Por cuánto tiempo me quedé allí? Las transcripciones del hospital dicen que tuve lo que llaman un paro cardíaco prolongado durante 1 hora y 45 minutos. El doctor dijo que estaba "muy, muy muerto". A mí me pareció como si estuviese en el Cielo mucho tiempo y sin embargo un tiempo muy corto. Había experimentado la eternidad. Incluso ahora, la vida aquí parece muy corta. Sé que superaré todos los problemas que se me presenten y que algún día, muy pronto, estaré de nuevo con Jesús.* Espero que tú, que estás leyendo esto ahora, puedas llegar a ese entendimiento. Si conoces a Jesús como tu Señor y Salvador, sobrevivirás a todos los problemas que enfrentas en este momento y a todos los problemas que enfrentarás en esta Tierra. ¡Esta es una buena noticia!

Llegué a comprender que, ya sean 50 o 500 años, serán cortos comparados a la eternidad. ¿Cómo pones tiempo a la eternidad? ¿Por qué poner el tiempo en la eternidad?* ¿Por qué ponemos tiempo en la Tierra? Usamos el tiempo en la Tierra porque tiene un final. No así en el Cielo donde el fin no existe. Jesús dijo que Él es el principio y el fin.

APOCALIPSIS 1:8 (RVC)

"Dios el Señor dice: «Yo soy el Alfa y la Omega, [el principio y el fin,] el que es, el que era, y el que ha de venir. Soy el Todopoderoso."

El Padre dijo que Él es "YO SOY" en el libro Éxodo.

ÉXODO 3:14 (RVC)

"Y Dios le dijo a Moisés: "Soy quien soy".

El Espíritu Santo está en todas partes al mismo tiempo: pasado, presente y futuro, como dice Génesis 1:1-2 y Juan 14:16.

GÉNESIS 1:1-2 (RVC)

"Dios, en el principio, creó los cielos y la tierra. La tierra estaba desordenada y vacía, las tinieblas cubrían la faz del abismo, y el espíritu de Dios se movía sobre la superficie de las aguas".

JUAN 14:16 (RVC)

"Y yo rogaré al Padre, y él les dará otro Consolador, para que esté con ustedes para siempre."

Entonces, ¿cómo y por qué tendríamos una medida del tiempo en el Cielo? Realmente es una eternidad . Sin tiempo, no hay edad ni envejecimiento en el Cielo. Todo es nuevo a cada momento. Eso es difícil de entender aquí en la Tierra, pero el hecho es que no hay tiempo en el Cielo. Estás fuera del tiempo allí. Todo es en el presente.

La atmósfera en el Cielo

El Cielo tiene la atmósfera más hermosa que haya sido creada. Escucho a la gente hablar de la atmósfera aquí en la Tierra, y de lo bien que se ve el amanecer o el atardecer. El Cielo más maravilloso o hermoso que puedas ver aquí en la Tierra no puede ni siquiera compararse a la atmósfera del Cielo. Empiezo diciendo que Jesús es resplandeciente debido a la gloria de nuestro Dios. Jesús y el Padre lo iluminan todo. No existe oscuridad en el Cielo.*

Recuerdo haber mirado por la ventanilla del coche cuando mi esposa me llevaba a casa desde el hospital. Ese día fue un día de mayo brillante y soleado aquí en el hermoso noroeste. Ya que llueve mucho en el estado de Washington, un día despejado parece especialmente hermoso. La vegetación es verde, el Cielo y el agua son tan azules, y se puede ver el monte Rainiero que tiene más de 14,000 pies de altura al este y la cordillera Cascade. Al oeste, se pueden ver las Montañas Olímpicas. Era uno de esos días en la zona de Seattle, y miraba por la ventanilla del coche con el ceño fruncido. Mi esposa me miró y me preguntó qué estaba mal. Todo lo que podía decir era, "Es tan aburrido aquí". En mi corazón, estaba pensando en lo aburrido que es todo este mundo en comparación con el Cielo. A veces me esfuerzo mucho para hacer que este lugar parezca hermoso en mi mente. Sé que lo es para muchas personas, pero como he experimentado la atmósfera del Cielo, ya no siento lo mismo.

Jesús y el Padre iluminan todo en el Cielo. Su gloria y luz brillan de todo. La oscuridad no puede esconderse en ningún lugar del Cielo. El ambiente en el Cielo es algo que se puede experimentar y no sólo ver. Es un dorado, un amarillo y un blanco. Un artista que conozco dice que suena como los colores del amanecer.* La atmósfera en el Cielo me recordó la salida del sol en una mañana clara aquí en la Tierra. La atmósfera tenía los colores del arco iris y aún más colores moviéndose a lo largo de ella. El ambiente parecía cortinas moviéndose en un día con viento. Parecía una cascada al revés, como si estuvieras mirando una de las grandes cascadas de esta Tierra y vieras que el agua sube por la caída en lugar de bajar. Las cortinas se parecían a las Luces de la Aurora Boreal, también conocidas como Luces Polares del Norte en la zona polar norte, o a la Aurora Australes, también conocida como Luces del Sur en la zona polar sur. Pero nuevamente, el ambiente era un amarillo dorado que estaba vivo. La primera vez que vi realmente lo vivo que estaba fue cuando se inclinó al momento en que Jesús me dijo por última vez: "No, no es tu hora. Regresa". La atmósfera se dobló y se inclinó.

Los colores en el Cielo

Los colores en el Cielo son brillantes. Solía decir que el color más opaco del Cielo es más brillante que el color más brillante de la Tierra. Pero no hay colores apagados en el Cielo. Hay colores allí que no podemos ver aquí en la Tierra, y son en más cantidad de lo que puedas imaginar. Jesús y el Padre desprenden colores vivos, y son hermosos, tan hermosos. Todo tiene un color o colores. Cuando vi a Jesús, Él es resplandeciente y el Padre también, junto con los seres que resplandecen por Ellos. La mejor manera de describir los colores que vi allí es compararlos con los colores del arco iris. Pero ni siquiera eso hace justicia a los colores vivos en el Cielo. Hay más colores en el Cielo que en cualquier arco iris que veamos aquí en la Tierra, muchos más de los que podría imaginar.

Los colores de las flores aquí en la Tierra son los más parecidos a los colores que experimenté en el Cielo y, sin embargo, incluso los colores de estas flores han perdido su gloria a comparación de los colores del Cielo.* Los colores del Cielo son colores originales. Son como nuestros colores primarios aquí en la Tierra. Dios no mezcla un color con otro para hacer un nuevo color allí. Cada color es un color original. El rojo es rojo, el morado es púrpura, el verde es verde, y así sucesivamente. Cada color tiene su propio color.

No hay tonos de un color. Espera ver colores que te asombrarán cuando llegues al Cielo. Los colores en la Tierra no se asemejan a lo que experimentas en el Cielo. Los colores están vivos, junto con todo lo demás.

Las palabras de Jesús están vivas

He dicho anteriormente que Jesús me habló con su voz. Su voz es amor. Su voz es poderosa. Su voz salió con poder y autoridad, pero cuando llegó a mí, fue vida y consuelo.* ¡Sí, vida para mí! Estaba vivo cuando entró en mí, y como dije anteriormente, sabía que tenía que regresar a la Tierra. El resto de los momentos en los que me habló eran sólo de su corazón, como todo lo que había allí.

Comunicación en el Cielo

Aquí en la Tierra las palabras que se hablan son muy importantes para nosotros. Sin la palabra hablada, la comunicación entre las personas aquí en la Tierra puede ser muy difícil. Pero, sentí que hablar palabras en el Cielo era un desperdicio de energía o simplemente no era importante.* Jesús y el Padre pensaron algo y me lo transfirieron. Los otros seres formaron un pensamiento, y se me transfirió.* No parecía haber necesidad de expresar ese pensamiento en voz alta de nuevo. En el Cielo no te falta nada. No tienes ninguna carencia. Eres perfecto, ya que tu Creador es perfecto. Así es con toda la creación de Dios. Como todo está vivo, todos pueden comunicarse contigo.* Toda la vida allí formó pensamientos, y esos pensamientos se transfirieron a mí. Era una forma más rápida y clara de comunicación con todo en el Cielo.

Todo es PERFECTO, así que no hay comunicación errónea entre uno y otro.* No hubo malentendidos entre sí. No había nada que tuviera que esconder el uno del otro. Todos teníamos pensamientos puros y cada pensamiento era puro.* Había una regla a seguir: no se entraba en los pensamientos de las creaciones celestiales sin recibir primero su permiso. Satanás, el último ser que rompió la regla, ya no está en el Cielo. Imaginas el poder que tendríamos si realmente comprendiéramos el poder de nuestros pensamientos?

Todos y todo alabaron al Señor

La única vez que vi a los seres abrir la boca fue cuando cantaban alabanzas al Padre en el trono. Todo ser vivo y criatura alaba al Padre y a Jesús. Cada parte de la creación de Dios alaba a Dios todo el tiempo, y nadie más recibe alabanzas, sólo Dios.* Cuando estás en el Cielo sabes que eso es lo que haces.* Es similar a respirar aire en la Tierra. A un bebé no se le debe enseñar a respirar. Él o ella lo sabe hacer tan pronto como nace. Yo también sabía qué hacer, y parecía poder sustentarme de las alabanzas que yo daba a Dios. Estaba vivo en el Cielo por Dios mismo y nada más.

Escuchar las flores alabar al Señor es maravilloso. Los pájaros le cantan alabanzas al Señor. El agua alaba al Señor. Las montañas alababan al Señor. Las alabanzas venían de la atmósfera. Las alabanzas estaban en la atmósfera. La alabanza era el ambiente. Todos le alabamos repetidamente, una y otra vez.* Parece que nunca se te acaban las cosas por las que alabarle. Recuerdo haberle agradecido una y una vez más por estar allí y amarme tanto. Le di las gracias por amar a todos en la Tierra. Le di las gracias por crearme. Le di las gracias una y una vez más. Sé que podría haber alabado para siempre.

Escribir esto me recuerda el hecho de que la alabanza nunca dejó mi pensamiento cuando estaba en el Cielo.* Todavía lo alabo todo el tiempo aquí en la Tierra. Me resulta difícil dejarle de alabar y pensar en otras cosas. Me es difícil – por mi constante alabanza – ver el por qué se le da valor a lo que se considera importante aquí en la Tierra. Aquellos de ustedes que conocen a Jesús como su Señor y Salvador compartirán esta misma experiencia. Siento mucho no poder explicarlo mejor que de esta manera.

Cuando salí por primera vez del hospital y estaba en casa, me desperté temprano para ver el día "despertar". Así es como lo llamé. En verdad, sólo quería oír a los pájaros cantar y ver salir el sol. Los pájaros del Cielo siempre alaban al Señor con sus canciones. Los pájaros aquí en la Tierra hacen lo mismo, la mayoría de las veces. Cuando sale el sol, me parece que está diciendo: "Alabado sea el Señor". Así que quería ver este "despertar" cada mañana, y participar con estas creaciones de Dios en decir: "Alabado sea el Señor". Todo ser vivo y criatura alaba al Padre y a Jesús.

Nuestra conexión en el Cielo

Una de las cosas más fascinantes que experimenté en el Cielo fue estar conectado con todo lo que había allí en el mismo momento. Debido a esto, llegué a entender la vida en el Cielo muy rápidamente. Es casi como la electricidad que conecta la energía para hacer funcionar cualquier cosa que necesite energía eléctrica aquí. Es similar a nuestro sistema informático que está conectado a Internet y a su vez nos conecta con todas las computadoras del mundo. Dios es la conexión entre todas y cada una de sus creaciones.* Esta analogía me dio mayor entendimiento para lo que digo.

Relatando mi experiencia contigo

No hay ninguna sustancia en la Tierra que pueda acercarse a la sustancia que Dios utilizó para crear todo en el Cielo. No hay pecado que corrompa lo que Dios ha hecho. Sus creaciones en el Cielo están en su forma más pura. No hay pecado que destruya lo que Dios ha hecho.* Por lo tanto, todo lo que puedo decirte, y describir, es cómo es algo en el Cielo. Si tienes lo que algunos llaman "una experiencia extracorpórea", después sólo puedes relatar lo que viste desde un punto de vista terrenal porque, tras la experiencia, has perdido la conexión de Dios con todo. He llegado a creer que sólo aquellos que realmente han muerto pueden decirles lo que vieron desde un punto de vista celestial. La razón es porque su cuerpo que se quedó aquí en la Tierra se desconectó de los verdaderos ellos, su espíritu.

Cuando estuve allí, no quería volver, y estaba planeando quedarme. Por lo tanto, entiendo lo que Juan, quien escribió el Apocalipsis, Ezequiel, Daniel y David, que escribió la mayoría de los Salmos, pasaron al tratar de hablar a otros sobre el Cielo en términos terrenales. Al seguir leyendo, y si lees los escritos de estos hombres en la Biblia, verás que cada uno utiliza mucho la palabra "como", para tratar de decirnos lo que vieron. Ya he utilizado muchos ejemplos en este libro para ayudarte a ver lo que vi u oír lo que escuché. Pero entiende, por mucho que trate de transmitir mis pensamientos a los demás, todavía estoy muy por debajo de lo que realmente es en el Cielo. Esta conexión de Dios con todo en el Cielo me ayudó a entender lo que estaba pasando allí, pero siento que mi explicación aquí en la Tierra carece de palabras correctas.

Una de las mejores maneras que he encontrado para que las personas se conecten con lo que experimenté en el Cielo es a través de la Biblia. He encontrado aproximadamente el 90% de lo que explico sobre el Cielo en algún lugar de la Biblia. Me he reunido con mi Pastor y mi Pastor Asistente durante casi dos años, revisando lo que experimenté en el Cielo. Hemos trabajado juntos para encontrar versículos en la Biblia que se relacionan con un acontecimiento específico que experimenté en el Cielo. Sabía por lo que Jesús descargó dentro de mí que encontraría todo lo que vi en el Cielo en la Biblia. No se nos está ocultado del Cielo. Sólo hemos limitado nuestro pensamiento a lo que tenemos y conocemos aquí en la Tierra.

Algunos han dicho que Dios no puso todo en la Biblia, y yo digo que, lo más probable es que así sea. Pero les digo a los que dicen eso, hasta que no puedan decirme todo en la Biblia no pueden apoyarse en esa declaración. He encontrado mucho en la Biblia de lo que experimenté en el Cielo. Encontrar las palabras terrenales adecuadas es la parte difícil.

Capítulo 8

El verdadero guardián del Cielo

Llegué a entender quién es el verdadero guardián del Cielo. Es Jesús y sólo Jesús. Lo entendí la última vez que me dijo que regresara. Vi en sus ojos el amor por la humanidad. Vi el amor por cada joven, mujer y hombre.

Miré los ojos de Jesús

Los ojos de Jesús son como llamas de fuego con colores cambiantes de rojo, naranja, azul, verde, amarillo y muchos otros colores dentro de ellos. Juan dijo en Apocalipsis 1:14, que "Sus ojos (son) como una llama de fuego".

Los ojos de Jesús son pozos profundos llenos de vida. Sentí que podía perderme en sus ojos cuando los miraba, y nunca querría salir. Una vez más, al principio parecía como si sus ojos sólo tuvieran amor por mí, pero, cuando pensé en otra persona, vi el amor que Él tenía por ellos dentro de sus ojos. Era como si sólo los amase. Así que pensé en otra persona y sucedió lo mismo. Vi el amor de Jesús por ellos. Lo hice con varios seres celestiales y algunas personas aquí en la Tierra. En sus ojos vi el amor por todo ser humano y la creación de Dios.

Vi en los ojos de Jesús que deseaba que todos los que todavía estamos vivos en la Tierra estuviésemos con Él en el Cielo.* No quería perder a una persona al infierno. Jesús quiere que todas las personas sean salvas y vivan eternamente con Él en el Cielo. Ojalá pudiéramos entender cuánto nos aman el Padre, Jesús y el Espíritu Santo a cada uno de nosotros. Cuando miré a los ojos de Jesús, vi este amor, y supe que también me convertí en ese amor. Si tenemos a Jesús, todos tenemos ese amor dentro de nosotros y debemos llegar a ser su amor por los demás.

Él nos ama pase lo que pase

Mientras miraba a los ojos de Jesús, teníamos esta comunicación en nuestros pensamientos. No hubo palabras, pero le dije: "¿Incluso los agresores sexuales de niños?" Había trabajado con niños y adolescentes durante los últimos 33 años. Durante ese tiempo, el único problema que surgió con frecuencia con esos niños fue el abuso sexual por parte de adultos. Esta cuestión, para mí, parecía hacer más daño a esos niños que todas las demás cuestiones a las que me enfrenté como consejero. He visto a muchas personas que se recuperaron de muchos tipos de abuso, pero cada vez que tenía que lidiar con alguien que había sido abusado sexualmente, el daño parecía ser el más dañino y la recuperación sería la más difícil. Siempre me enfadaba y frustraba con este tipo de casos.

Jesús me dijo: "Cuando una persona es encarcelada, sale. Salen cuando han cumplido su condena, o salen cuando mueren, pero salen. Pero cuando una persona va al infierno, está allí por la eternidad". Entonces sus ojos me miraron con la llama roja ardiente y dijeron: "¿Quién eres tú para anular lo que he hecho?* "Esto me llegó de una manera muy severa. Vi los brazos de Jesús extendidos como si estuviera en la cruz y supe que entonces había pagado el precio por todos los que habían pecado o que alguna vez pecarían. No tenemos derecho a condenar a nadie, ya que Él no lo hace. ¡Sabía que lo sabía! Quería a toda la gente allí con Él. El pecado es pecado. No hay excepciones a lo que hizo en la cruz. Todo lo que el Padre pide es nuestra aceptación y amor por su hijo Jesús. Él realmente desea a todas las personas allí con Él en el Cielo. ¡A toda la gente!

Tía Barbara

Recuerdo haber visto a uno de mis familiares en el Cielo que conocí en la Tierra y que nunca creí que habría llegado al Cielo. Esa era mi tía Barbara. Mi tía Barbara era mi tía favorita. Vivía cerca de nosotros mientras crecía en California. Venía a cuidar de nosotros cuando nuestros padres salían de la ciudad. Era divertido estar con ella, y esperaba con ansias verla cuando sabía que nos visitaría.

Sin embargo, el lado que vi de la tía Bárbara cuando estaba en la Tierra no me llevó a creer que fuera una cristiana en camino al Cielo. Pero cuando estaba en el Cielo, ¿adivina quién estaba allí? ¡Sí, la tía Barbara! Ella debió haber aceptado a Jesús como Señor y Salvador. Esa es la única manera de entrar en el Cielo. Como no la vi hacer ese compromiso con Jesús, creí en mi corazón que no lo había hecho. No nos corresponde a mí ni a ti decidir qué personas entran en el Cielo, o quienes no. Jesús es él único.

Mi esposa ha llevado a muchas personas al Señor mientras trabajaba con los ancianos en los hospitales y demás. Sus parientes nunca se enteraron, pero Jesús lo hizo. Jesús no abandona a nadie, ni siquiera en su último aliento en esta Tierra. Es sólo Jesús. Él es el Guardián de la Puerta.

Capítulo 9

Registros médicos y transcripciones

Antes de que ocurriera este incidente, yo era un hombre muy sano de 47 años. Me hacía chequeos físicos con regularidad. La mayoría de estos chequeos se debieron a que estaba en la Fuerza Aérea de los Estados Unidos en servicio activo por 6 años y derecho de reserva por 14 años. Me jubilé de la Reserva con una factura limpia de salud. El único problema que tuve después de eso fueron cálculos renales en junio de 2002, cuatro años antes de este incidente.

Pasé por el mismo procedimiento en 2002, por cálculos renales que por este incidente. La principal diferencia fue que esta vez me registré en el hospital la noche antes de la operación. En junio de 2002 me registré en el hospital esa mañana y salí en la tarde del mismo día. Después del primer tratamiento para cálculos renales en 2002, no tuve ningún problema con cálculos renales o cualquier otra enfermedad durante los siguientes cuatro años. No recuerdo haber tomado ninguna licencia por enfermedad personal durante este tiempo.

Lo siguiente se ha extraído de los registros médicos que hemos recibido de ambos hospitales. Conseguir estos registros no fue fácil debido a los errores cometidos por los hospitales y/o el médico, y a la posibilidad de una demanda. El médico que cometió los errores dificultó que recibiéramos informes precisos. Finalmente, tuvimos que conseguir que otros médicos que trabajaron en mi caso nos dieran la información. Nunca fue nuestra intención demandar al médico o al hospital. Sólo queríamos que los registros médicos oficiales dan los testimonios médicos que habíamos recibido de médicos, enfermeras y otras personas que trabajaban en los hospitales.

La otra cosa sobre estos registros es que ha sido difícil conseguir que un profesional médico lea lo que tenemos e interprete la jerga médica para la persona no médica, es decir, los lectores de este libro. Nos encontramos con la resistencia de las personas que no querían hacer constar el relato médico. Simplemente no quisieron dar por escrito el número de errores que cometió el urólogo y el hospital. Una vez más, no querían ser parte de ninguna demanda potencial. Por lo tanto, lo que sigue es información en bruto que tendrá que ser traducida por el lector.

Extractos de información tomada de mis registros médicos y transcripciones médicas

Diagnóstico preoperatorio: Cálculo uretral izquierdo y nefrolitiasis bilateral (cálculos renales) y pielonefritis (infección del tracto urinario)

Diagnóstico postoperatorio: Cálculo uretral izquierdo y nefrolitiasis bilateral y pielonefritis

Operación: Cistoscopia con pielograma retrógrado, retroceso del cálculo uretral y litotricia bilateral de ondas de choque extracorpóreas

Indicaciones: Este encantador caballero de 49 años (realmente de 47 años) se presentó en el hospital con pielonefritis y cálculo ureteral de obstrucción. Después de 24 horas de cobertura antibiótica con administración suplementaria de antibióticos en sala de operaciones, se presenta en este momento para una intervención quirúrgica definitiva.

Resultados: El cálculo que obstruye el uréter izquierdo se empuja hacia atrás en la pelvis renal, y se deja una endoprótesis de doble J de 7 cm en el uréter y ese cálculo se dirige más allá y ambos riñones se fragmentaron con dificultad. Después de 2400 descargas, el procedimiento se dio por terminado y el paciente fue despertado y devuelto a la sala de recuperación en condiciones satisfactorias. No hubo complicaciones. Toleró bien el procedimiento. Esto fue a partir de un informe del 6 de mayo de 2006 del cirujano que realizó la operación original.

Extractos tomados del resto de los registros médicos y transcripciones médicas

- Mayor cantidad de reanimación de líquidos para la hipertensión
- Poca capacidad de respuesta
- Mueve las piernas al dolor
- dígitos muy frescos con dedos cianóticos
- Insuficiencia renal aguda
- Necrosis tubular secundaria a aguda oligúrgico
- Profundo shock séptico
- Paro cardíaco prolongado
- RCP una hora y 45 minutos
- Choque séptico con urosepsis
- Insuficiencia respiratoria
- Infiltrados pulmonares

- Edema versus síndrome de dificultad respiratoria para adultos

- Post RCP prolongada

- Post paro cardíaco

- Reanimación prolongada

- Sepsis fulminante

- Demasiado numeroso como para contarlos piedra en el riñón derecho

- Las radiografías de tórax muestran el desarrollo de edema pulmonar difuso

- El cultivo de orina enviado ayer está creciendo en más de 100,000 colonias de E. coli.

- El médico informa de un total de 1 hora y 45 minutos de tiempo total de atención crítica con el paciente sin incluir el procedimiento

- Shock séptico con urosepsis

- Diagnóstico de SIRS/ Sepsis con hipotensión, taquicardia, taquipnea, hipoxemia.

- Alto riesgo de coagulación intravascular diseminada.

- Paro cardíaco

- Urosepsis con E. coli.

- Cierre renal secundario.

- Aseable

- Extubado

- Hemodinámicamente estable

- Hígado en shock

- Síndrome de choque

- Estrés hemodinámico

- Sobre ventilación mecánica

- Íleo paralítico

- Fallo multiorgánico

- Gravemente enfermo

- El pronóstico es pobre

- Catéter de Quniton y tratamiento de diálisis (riesgo y beneficios)

- Riesgo de complicaciones hemorrágicos con DIC en curso

- Sistema de diálisis de coagulación dado DIC en curso

- Obstrucción de piedras urinarias

- Gravemente acidótico con un ácido láctico de hasta 16.

- Poca capacidad de respuesta

- Fiebre alta

- Requiere altos niveles de FiO2 (porcentaje de oxígeno en el aire del ventilador mecánico)

- Las opacidades en los pulmones aumentaron ligeramente bilateralmente. Esta es una palabra para la progresión de la neumonía.

- Paciente muy desafortunado en estado crítico.

Después de la recuperación, recibí cierta resistencia del médico que había realizado la operación para sacar un período que se colocó en mi cuerpo. Mi mujer tuvo que llamar al médico y decirle que iba a emprender acciones legales si no recibíamos una cita para que nos quitaran la endoprótesis. Nos dieron cita para el día siguiente y el médico nos retiró la endoprótesis.

En ese momento le pregunté al médico qué había pasado para que mi corazón se detuviera. Me dijo que tenía una fuerte infección que creía que se había solucionado con antibiótico muy fuerte. Pero por alguna razón la infección no se vio afectada por el medicamento que me habían dado. Dijo que no habían comprobado antes de la operación si el medicamento funcionaba o no, y había asumido que sí. No fue hasta cinco días más tarde, que se enteraron por informes de laboratorio de que el medicamento no había tenido ningún efecto sobre la infección.

En el momento del incidente, el médico no sabía lo que estaba saliendo mal o por qué mis órganos vitales se estaban apagando. El doctor me dijo que si no hubieran hecho todo correctamente, habría muerto. Si hubieran hecho un procedimiento diez minutos antes o diez minutos después, habría muerto. Le pregunté si había muerto. Me dijo que mi corazón se había detenido y que cada vez que parecía que iba a volver a latir, no lo hacía. Dijo que trabajaron conmigo alrededor de 1 hora y 30 minutos (el registro oficial decía 1 hora y 45 minutos). Le pregunté si veía esto como un milagro y me dijo que lo era, y que debía ir a contar la historia a otros. Como puedes leer, hubo muchas cosas que salieron mal con los procedimientos y con mi cuerpo. ¡Pero Dios los sanó a todos! ¡Alabado sea Dios!

Capítulo 10

Jesús quiere que todas las personas se salven

¿Qué hacía Jesús cuando llegaba al Cielo? Estaba ocupado haciendo algo que realmente me sorprendió. Organizaba una estrategia con algunos seres que estaban de pie en un medio círculo frente a Él.* Les comunicaba sus planes de cómo hacer que más personas en esta Tierra lo conocieran como Señor y Salvador.*

Dios está usando todo lo que puede para que la gente conozca a Jesús como Señor y Salvador.* Está buscando gente en la Tierra que trabaje con Él para que otras personas conozcan quién es Él.* Llegué a entender lo mucho que estamos en guerra mientras estuve en el Cielo. Jesús está instando a toda la humanidad a perseverar por el Reino de Dios.* ¡Somos muy importantes para Él!* Cuando estaba en el Cielo, estaba conectado a todo y a todos, y todo y todos estaban conectados conmigo. Debido a esto, comprendí lo importantes que somos para Él.*

Intervenciones celestiales

Digo que me sorprendió lo que hacía Jesús porque creía que después de que muriera en la cruz y ascendiera al Cielo, no habría necesidad de tal estrategia. Sin embargo, cuando miro a través del Nuevo

Testamento, en más de una ocasión, Jesús envía ángeles en lo que yo llamo "intervenciones celestiales" para lograr que la gente se salve.* Por ejemplo, en el capítulo 8 de los Hechos, Felipe es enviado a atender al eunuco etíope. En Hechos capítulo 9, Ananías es enviado a Saulo (Pablo), y en Hechos capítulo 10, Pedro es enviado para traer la salvación a Cornelio y su hogar. Tan pronto como alguien acepta a Dios en su corazón, Jesús está allí.* Les digo a otros que hay muchas personas en el Cielo que quizá no pensamos que estarían allí.* También hay quienes pensamos estarían en el Cielo, pero no lo están. Como dice en el capítulo 10 de Romanos, Dios mira el corazón de una persona, no sólo lo que dice o hace.*

El Cielo es un lugar donde todo es perfecto y todos somos justificados para estar en este lugar de rectitud.* Allí todo está vivo y todos tienen derecho a vivir con Dios para siempre.* Comprendí que por eso estamos aquí en la Tierra. Debemos decirles a los demás acerca de Jesús para que puedan ir y estar con DIOS también.

El Ejército de Dios

Hay dos unidades en el ejército de Dios. Hay una unidad celestial y una unidad terrestre, pero las dos son el mismo ejército de Dios.* La unidad celestial está formada por los ángeles de Dios que comprendieron a qué gobierno pertenecen.* Entendieron para qué Reino trabajan.* Cuando Jesús se comunicaba con ellos, mostraban un gran ASOMBRO o respeto.* No olvido ese momento. Otra de las razones por las que no quería salir del Cielo es porque quería ser parte de esa unidad. Quería estar con su creación quien lo respetaba por quien es. Es el Rey de Reyes y Señor de Señores.*

Este respeto y reverencia por Jesús que experimenté en el Cielo me afectó enormemente. Recuerdo haberle dicho a mi hijo en la habitación del hospital que ya no podía cantar alabanzas que no respetaran a Jesús como Rey. Fui testigo de cómo esas criaturas celestiales se inclinaban cuando venían ante el Señor y se inclinaban antes de dejar a Jesús, y luego volverse a como entraron. * Se retiraban rápidamente para cumplir con las asignaciones que Él les envió a hacer,* y no vi a ninguno de ellos cuestionar nada de lo que Él les mandaba hacer.* Esta unidad celestial fue enviada a luchar en los Cielos.* Estaban luchando contra espíritus malignos que pertenecen al ejército de Satanás.* Sabía que eran las oraciones las que determinaban las acciones celestiales.* Cubriré más acerca de estas dos áreas, la oración y los ángeles en capítulos posteriores.

Luego, estaba la unidad terrestre. *A esta es a la que me llamaron cuando me envió de regreso a la Tierra. No quería ser parte de esto porque ya había sido parte de la unidad celestial. Había visto en la Tierra todo lo contrario de lo que hizo la unidad celestial. Había hecho en la Tierra todo lo contrario de lo que hace la unidad celestial.

Cuando Jesús me dijo que regresara, supe dentro que él estaba diciendo: "Te necesito en la Tierra más que aquí", y me fui como soldado que va a la guerra.* Sabía que sería por un corto tiempo y que mi vida en esta Tierra sería corta*. Si me quedo aquí otros 50 o 100 años, es corto comparado con la eternidad. Se lo he dicho a mucha gente aquí en la Tierra; quiero vivir al menos hasta los 95 años. Quiero ser parte de esta unidad aquí en un mundo donde pueda salvar corazones para Jesús y salvar a la gente. Es conseguir que la gente viva con Él para siempre.*

El ejército de Dios en la Tierra

Mientras estaba en el Cielo, llegué a entender cómo es la unidad terrenal. En primer lugar, esta unidad está compuesta por personas que aman a Dios con todo su ser.* Estos son los que dicen que Jesús es Señor y Salvador,* no sólo Salvador de sus vidas, sino también Señor de sus vidas. Saben que son enviados a decirles a los demás de Jesús. Ellos saben quién los envió.* Han llegado a una comprensión de su autoridad y la autoridad que tienen.* Saben que hay una guerra con Satanás y sus ángeles caídos.* Conocen sus armas y las usan en las batallas que libran.* Tienen una gran comprensión de bajo qué gobierno y reino están y a quién pertenecen.* Pasan mucho tiempo con el Padre en su Palabra y en oración.* Son capaces de oír su voz cuando les ordena hacer algo.* Entienden que cuando Jesús o el Padre a través del Espíritu Santo les pide que hagan algo por el Reino, es una orden y no una petición.* Han llegado a conocer su propósito en esta Tierra y lo aceptan.* Saben que deben conseguir que la gente conozca a Jesús como Señor y Salvador a toda costa. Están dispuestos a perder sus vidas aquí en la Tierra por Él.* Saben que son parte de un ejército más grande y tienen un Dios que siempre estará con ellos.*

Llegué a entender que no me enviaban solo con una carga pesada.* Comprendí que alguien oró por mí en el Reino de Dios. También entendí que Dios usó tanto las unidades celestiales como las terrenales para lograr eso en mi vida, y sé que hizo lo mismo por otros que están leyendo esto y que son salvos. Si estás leyendo esto y no te has salvado, Dios está haciendo que la unidad celestial luche por ti. Él nos está usando a mí y a otros en la unidad terrenal en su nombre. Te diré: "Detente ahora mismo y pídele a Jesús que sea tu Señor y Salvador. Di la siguiente oración y conoce cuánto Dios te ama".

Oración para la salvación

Sé que he pecado. Me arrepiento de mis pecados. Creo en Jesús que moriste en la cruz por mi pecado. Ahora los recibo como mi propio Salvador y Señor. Con tu ayuda, Jesús, trataré de complacerte todos los días de mi vida. Seré un gran soldado de honor en tu ejército en tu nombre, Jesús. Amén.

Capítulo 11

Más de 600 se enteraron del milagro de Dean por correo electrónico.

Se enviaron los siguientes correos electrónicos anunciando mi estado. Este correo electrónico se envió a las personas con las que trabajaba o para las que trabajaba en el momento del incidente. También se envió a otros departamentos del condado de King y de la ciudad de Seattle y a muchas de las diferentes agencias sociales con las que había trabajado. En total, puede decirse que este incidente se anunció a más de 600 personas. Cuando volví al trabajo un mes y medio después, la gente decía que era un milagro. Y después concordaba que fue un milagro realizado por Jesucristo y nuestro Padre Dios.

Primer correo electrónico

10 de mayo de 2006.

Hola a todos, hoy miércoles compartimos este recuento sobre el estado de Dean Braxton, estimado Gerente del Tribunal de Drogas Juveniles, y el Tribunal de Tratamiento. Como la mayoría de ustedes ya saben, Dean fue operado de urgencia por cálculos renales el pasado viernes 5 de mayo en el Hospital St. Francis en Federal Way. Debido a una infección y a otras muchas complicaciones tras la operación, el corazón, los riñones y otros órganos vitales de Dean empezaron a fallar y le colocaron un soporte vital. Fue transportado el sábado por la mañana a la UCI del Hospital General de Tacoma. Permanece en soporte vital, incluyendo un respirador, diálisis renal 24/7, etc. Ha hecho algunos avances hacia su recuperación y ha respondido bien en los últimos 3 días. Está recibiendo una excelente atención por parte del equipo médico de la UCI.

Actualmente, el personal médico se encuentra estabilizando su corazón, sus riñones y otras funciones, y han dado seguimiento al problema del recuento de glóbulos blancos que se descubrió ayer. Sus niveles están regresando a un recuento blanco más normal. Sin embargo, han tenido que aumentar sus niveles de oxígeno. Esto significa que no puede respirar por su cuenta. Aunque no puede hablar debido al respirador, responde con expresiones faciales y lágrimas cuando su mujer y sus ancianos padres hablan con él.

Esa es una buena señal con respecto a su funcionamiento cerebral y el maravilloso espíritu dentro de Dean. Seguimos orando por su completa recuperación.

La esposa de Dean, Marilyn Braxton, desea agradecer a todos sus amables visitas, tarjetas, llamadas telefónicas y otras expresiones de cariño y preocupación. Sin embargo, le gustaría pedir que, durante este momento tan crítico en el que Dean está con respiración asistida, todas las visitas a Dean queden suspendidas y todas las llamadas telefónicas limitadas. Ycaza y Hazel, de la Coalición 4Cs, serán las principales personas de contacto con las que me mantendré informado, ya que ambas son muy cercanas a Marilyn y Dean y hablan con ella a menudo.

Hemos organizado la entrega de alimentos y bebidas a la familia esta semana y os los mantendremos informados de lo que se necesite. Durante este tiempo de crisis, la familia pasa muy poco tiempo en casa, por lo que las necesidades son algo diferentes.

Gracias por su amor y preocupación, sus ofertas de Apocalipsisyo y sus oraciones continuas por la sanación y recuperación de Dean. Es alentador para todos nosotros y para su familia.

Estaré en contacto de nuevo pronto,

Susie

Segundo correo electrónico

11 de mayo de 2006. Buenos días a todos,

Estas son las novedades del jueves por la mañana sobre Dean Braxton: Marilyn Braxton informa que Dean está mejorando significativamente en todos los niveles. ¡Están teniendo conversaciones y otro tipo de comunicación que muestra el nivel de su mejoría! Se están produciendo muchos milagros y el equipo de la UCI del Hospital General de Tacoma sigue haciendo un magnífico trabajo para atenderle.

Marilyn, Dean y su extensa familia quieren expresarle su gratitud continua por su apoyo amoroso, oraciones y preocupación. Se sienten alentados por el avance de Dean y quieren transmitirte ese aliento. ¡Hay mucho camino por delante para la recuperación, y es alentador informar de su avance a lo largo de este camino!

Dean permanecerá en la UCI por un tiempo debido a los muchos problemas involucrados en su cuidado. Los mantendré informados cuando reciba noticias de Marilyn a través de Hazel de la Coalición 4Cs sobre el estado de Dean y si es trasladado a una habitación regular en el hospital.

Susie

69

Tercer correo electrónico

12 de mayo de 2006. Buenas tardes a todos,

Esta es una actualización muy alentadora con respecto a Dean Braxton de su esposa Marilyn. En las últimas 24-30 horas, Dean ha estado haciendo una recuperación notable, nada menos que milagrosa, dada la crisis de salud que ha enfrentado desde el viernes pasado, hace apenas 1 semana.

Aunque sigue en la UCI del Hospital General de Tacoma, mejora cada hora y puede conversar con su familia y el personal médico. Sus médicos están asombrados de lo bien que ha respondido al tratamiento y lo bien que lo está haciendo.

Marilyn y la familia inmediata están con él gran parte del tiempo y querían expresar su gratitud a todos ustedes por sus pensamientos, oraciones y preocupaciones por Dean. Están alentados y agradecidos por el milagro de su proceso de recuperación. No queda claro en este momento cuánto tiempo más estará Dean en la UCI. Existen muchos factores que deben abordarse antes de que se traslade a una habitación de hospital normal.

La familia todavía se beneficia de tarjetas de regalo para alimentos. Les llevaré un par esta tarde. Me gustaría recibir más donaciones en cualquier momento de la próxima semana. Volveré a mi oficina a última hora de la tarde del lunes y parte del martes.

Gracias nuevamente por su preocupación, oraciones y apoyo. En nombre del Tribunal de Drogas/Equipos judiciales de tratamiento,

Susie

Cuarto correo electrónico

15 de mayo de 2006. Hola a todos,

Acabo de hablar con Marilyn Braxton y Dean ha sido sido trasladado de la UCI, aunque todavía está en Tacoma General. ¡Está progresando cada hora; afirmó que ayer dio un paseo por el pasillo! Ella expresó su agradecimiento por toda la efusión de amor y apoyo... Y los médicos siguen asombrados por el rápido ritmo de recuperación. Todos estamos alentados a mantener los pensamientos positivos y las oraciones que están por venir...

Susie

Quinto correo electrónico

16 de mayo de 2006

¡Hola!... No estaba seguro de si usted fue incluido en el correo de ayer de parte de Margaret, Gerente de Recuperación de Futuros. Ahora que el equipo está de regreso de su congreso, Margaret o Mark muy probablemente proporcionarán la información más reciente. Ayer estuve enferma, pero hablé con Marilyn anoche. Dean está mejorando cada hora. Sigue siendo un milagro... Incluso para los médicos. En este punto, puede que sea capaz de regresar a casa en unos pocos días. Todavía tendrá que recuperarse, pero ya casi está lo suficientemente bien como para hacerlo en casa. Es increíble sin duda.

Gracias por sus pensamientos y oraciones,

Susie

Capítulo 12

Lo que Jesús me dijo acerca de nuestras iglesias

Cuando estuve con Jesús, Él me miró y trasladó una gran cantidad de información en mi hombre-espíritu. La única manera de explicar este proceso es que es como un ordenador que recibe información o está programado con información de otra fuente, lo que llamamos descargar información en una computadora. Así es como Jesús nos comunica información a todos nosotros. La mayoría de la gente no escucha una voz audible de Jesús. La mayoría de las veces recibimos información de Jesús como una computadora que se descarga con información a la vez. Así se comunica con todos los seres del Cielo. Compartir información sobre mi experiencia en el Cielo y lo que Dios me dijo es como desmontar toda una foto que se me dio en un momento dado y darla a pedazos a los demás. Ahora, quiero hacerles saber lo que Jesús descargó en mí sobre las iglesias aquí en la Tierra y en los Estados Unidos.

Dos Espíritus en la Iglesia

Primero, Él me hizo saber que hay dos espíritus o actitudes en nuestras iglesias hoy en día.* Ambos espíritus o actitudes se encuentran en Apocalipsis 3:7-21. Me dijo que estos espíritus no están en una sola denominación*como solía pensar antes de ir al Cielo. En el pasado creía que siempre estaba en la denominación "correcta" y otros no. Ya sea que estuviera con la Iglesia de Dios en Cristo, Bautista del Sur, Asamblea de Dios, Iglesia Reimaginada o muchas iglesias no confesionales, siempre creí que mi denominación era la correcta. Creí que teníamos el espíritu o la actitud correctos en esa denominación. Jesús me dijo que su iglesia no está ligada a una sola denominación u otra. Me di cuenta que hay muchas cosas en las que nosotros, los que asistimos a la iglesia, creemos que no nos llevan al Cielo o nos mantienen fuera. En cambio, nos impiden ayudar a los demás a conocer a Jesús como Señor y Salvador. El capítulo 10 de Romanos contiene la escritura que le dice a TODOS lo que deben hacer para entrar en las puertas del Cielo.* Si solo una persona confiesa a Jesús como Señor y cree que ha resucitado de entre los muertos, Jesús entrará en su corazón y lo llenará de un amor abrumador por Dios y por los demás.* La presencia de Dios en nosotros provoca cambios en nuestra forma de pensar y en nuestras acciones, no una denominación o sus tradiciones.

Somos un solo cuerpo

Los creyentes en Cristo se reúnen en diferentes templos pero Dios ve a todos los que han aceptado a Jesús como Señor y Salvador como su iglesia.* Él quiere que cada uno de nosotros pertenezca a un cuerpo local de creyentes para que podamos edificarnos mutuamente para la obra que Él ha puesto ante nosotros,* y para que podamos tener comunión con otros en su reino. Sin embargo, no hay denominaciones en el Cielo. Las muchas bromas viejas sobre las denominaciones en el Cielo son sólo bromas sin fundamentos.

En el momento en que escribo este libro, mi esposa y yo pertenecemos a un cuerpo local de creyentes. El nombre de la iglesia es By His Word Christian Center (Centro Cristiano Su Palabra en español) en Tacoma, Washington. Llegué a entender que es parte del gobierno de Dios, como un cuerpo local de aquellos que creen en Jesús como el Hijo de Dios y lo han hecho Señor y Salvador de sus vidas.* Son personas que creen que Dios el Padre envió a su Hijo al mundo para salvarlo, para salvarte a ti y para salvar a la gente. * Creen que el Espíritu Santo, Jesús y el Padre son uno, y que sólo hay un Dios verdadero,* el que hizo al hombre*, no un Dios hecho por el hombre.*Esta clase de verdaderos creyentes en Cristo se pueden encontrar en todos los cuerpos eclesiásticos, sin importar la denominación o no.

Jesús dijo que hay dos espíritus en CADA cuerpo de creyentes. Algunos cuerpos pueden tener más de un espíritu que otros, pero ambos espíritus se pueden encontrar en el mismo cuerpo de creyentes. Esto cambió mi forma de ver las iglesias de todo el mundo. Llegué a saber que cada edificio que alberga una reunión de la iglesia tiene estos dos espíritus en él. Uno de estos espíritus puede ser más fuerte que el otro en la misma reunión, pero ambos pueden estar presentes.

Jesús no está contento cuando estimamos el cuerpo creyente de una iglesia sobre el cuerpo creyente de otra. Todos somos parte de la misma iglesia, su iglesia. Jesús me dijo que tiene a sus hijos en muchos de estos cuerpos creyentes, y que pueden reunirse en diferentes edificios y en diferentes denominaciones. Todo el que cree que Jesús es el Cristo ha sido engendrado por Dios (1 Juan 5:1).* Quería que supiera que estos dos espíritus están en TODOS los cuerpos de la iglesia, sin importar la denominación o no, por lo que deberíamos dejar de destrozarnos unos a otros. Sigue trabajando con todos nosotros. Él quiere que sigamos sus reglas de su Gobierno o Reino sobre cómo confrontar, corregir y tratar a los demás.*

El primer espíritu

El primer espíritu del que Jesús me habló se encuentra en Apocalipsis 3:8-12. Este espíritu se halló en la iglesia de Filadelfia.

APOCALIPSIS 3:8-12 (RVC)

"Yo sé todo lo que haces. Delante de ti he puesto una puerta abierta, la cual nadie puede cerrar. Aunque son pocas tus fuerzas, has obedecido mi palabra y no has negado mi nombre. Yo haré que esos que en la sinagoga de Satanás dicen ser judíos y no lo son, sino que mienten, vayan y se arrodillen ante ti, y reconozcan que yo te he amado. Por cuanto has obedecido mi mandamiento de ser perseverante, yo también te protegeré a la hora de la prueba, la cual vendrá sobre el mundo entero para poner a prueba a cuantos habitan en la tierra. Ya pronto vengo. Lo que tienes, no lo sueltes, y nadie te quitará tu corona. Al que salga vencedor lo convertiré en columna del templo de mi Dios, y nunca más saldrá de allí. Sobre él escribiré el nombre de mi Dios y el de su ciudad, es decir, de la nueva Jerusalén que desciende del cielo de mi Dios, y también mi nuevo nombre."

Este espíritu busca servir a los demás antes que a Dios.* Los que tienen este espíritu guardan la Palabra de Dios a toda costa.* No han negado su Nombre.* También saben que su Palabra es la Palabra de perseverancia* en la que Él los guardará de la hora de la prueba.* Se aferran a lo que saben. Los que tienen este espíritu saben en su corazón que Él viene pronto. Ellos entienden que debido a que el tiempo es corto antes de que Jesús regrese, quieren ver más personas salvas. Los que tienen este espíritu tienen una corona que nadie puede quitarles. Ellos pueden darlo, pero nadie puede tomarla.* Ellos están verdaderamente superando todo lo que enfrentan en esta Tierra.* Ellos serán hechos un pilar en el templo de Dios y no saldrán del templo de Dios.* Tendrán el nombre de Dios escrito en ellos junto con el nombre de la ciudad de Dios en ellos.* Este espíritu está en todas las iglesias que creen en Jesucristo como Señor y Salvador.

El segundo espíritu

El segundo espíritu o actitud que Jesús me dijo que se encontró en todas las iglesias se encuentra en Apocalipsis 3:15-21. Era dominante en la iglesia de Laodicea.

APOCALIPSIS 3:15-21 (RVC)

"Yo sé todo lo que haces, y sé que no eres frío ni caliente. ¡Cómo quisiera que fueras frío o caliente! Pero como eres tibio, y no frío ni caliente, te vomitaré de mi boca." Tú dices: "Yo soy rico; he llegado a tener muchas riquezas. No carezco de nada." Pero no sabes que eres un desventurado, un miserable, y que estás pobre, ciego y desnudo. Para que seas realmente rico, yo te aconsejo que compres de mí oro refinado en el fuego, y vestiduras blancas, para que te vistas y no se descubra la vergüenza de tu desnudez. Unge tus ojos con colirio, y podrás ver. A todos los que amo, yo los reprendo y los castigo; así que muestra tu fervor y arrepiéntete. ¡Mira! Ya estoy a la puerta, y llamo. Si alguno oye mi voz y abre la puerta, yo entraré en su casa, y cenaré con él, y él cenará conmigo. Al que salga vencedor, le concederé el derecho de sentarse a mi lado en mi trono, así como yo he vencido y me he sentado al lado de mi Padre en su trono."

Este es el espíritu con el que yo no quería estar relacionado. En el momento de este incidente creía que cualquier iglesia tradicional era la iglesia de Laodicea. Yo estaba pastoreando una pequeña iglesia de origen en ese momento y estaba muy feliz allí. Había sido parte de una iglesia tradicional durante varios años como ya has leído, y la mayoría de esos años, como pastor asistente. Debido a algunas de las experiencias que tuve en esas iglesias ya no quería tener nada que ver con ellas. Sentí que cuanto más antigua era la denominación, más dominante era este espíritu de laodiceano. Pero, como dije antes, Jesús cambió ese tipo de pensamiento en mí. Ahora sé que no tiene nada que ver con un edificio o una denominación, pero tiene todo que ver con el corazón de cada persona.*

Este espíritu laodiceano no es frío ni caliente.* No funciona para Dios. Estas personas que se hacen llamar creyentes en Jesús no están del lado de Dios. Jesús dijo que deseaba que estuvieran fríos o calientes. Porque son tibios, Él los va a escupir (griego: vomitar) de su boca.* Los que tienen este espíritu dicen que son ricos, que son ricos y que no necesitan nada.* Puede que no lo digan en voz alta para que otros los oigan, pero en su corazón lo creen. Jesús dijo que no saben que son realmente miserables, pobres, ciegos y desnudos.* Su problema es que Dios conoce sus corazones, y Él sabe qué espíritu tienen.*

Jesús también les dice que compren el oro que ha sido refinado por el fuego de Él.* Él quiere que sean verdaderamente ricos. Quiere que tengan prendas blancas para que puedan vestirse a sí mismos.* No quiere que se revele la vergüenza de su desnudez. Él quiere que tengan sus ojos abiertos para que puedan ver.* Debido a que los AMA, los reprueba y disciplina que tienen este espíritu.* Él quiere que sean celosos y se arrepientan de este espíritu. Jesús está llamando a la puerta de su espíritu, esperando que le abran su espíritu.* Quiere entrar en su espíritu y cenar con ellos y ellos con Él. Los que se arrepientan y superen este estado de tibieza se sentarán con Jesús en su trono.

Llegué a comprender que en todas las iglesias hay tibios, no importa en qué edificio se reúnan o a qué denominación pertenezcan, Él se les está acercando. No te engañes como yo. Él los ama tanto que él seguirá llamando hasta que se abran o mueran. Fui una de esas personas tibias durante mucho tiempo, y Él no se rindió conmigo. Tampoco quiere que renunciemos a los demás.

La Iglesia puede cambiar nuestras naciones

La otra cosa que Jesús me comunicó mientras estaba en el Cielo fue "Así como va la iglesia en la Tierra, también lo hace una nación".* Si vemos un problema en nuestra nación debemos mirar primero a nuestras iglesias. Él realmente quiere que su pueblo, que es llamado por su nombre, se humille, ore, busque su rostro y se convierta de sus malos caminos.* Si su pueblo hace esto, su nación cambiará.* Nosotros, que creemos en Jesús como Señor y Salvador, podemos cambiar nuestras naciones, ya sean los Estados Unidos, Perú, Francia, Inglaterra, Canadá, China, Uganda, Israel, o cualquier otra nación.* Él quiere que sepamos que puede suceder. Podemos cambiar las naciones empezando por nuestras iglesias.

2 CRÓNICAS 7:14 (RVC)

"Si mi pueblo, sobre el cual se invoca mi nombre, se humilla y ora, y busca mi rostro, y se aparta de sus malos caminos, yo lo escucharé desde los cielos, perdonaré sus pecados y sanaré su tierra."

Capítulo 13

Lo que Dios hace con nuestras oraciones

2 CORINTIOS 5:8 (RVC)

"Pero confiamos, y quisiéramos más bien ausentarnos del cuerpo y presentarnos ante el Señor."

Fue extraordinario viajar a donde está Jesús. Me trasladaba rápidamente. No vi a nadie cuando me fui. No estaba buscando a nadie más que a Jesús. Sabía a dónde iba. En el camino de regreso a mi cuerpo sí vi demonios en esa espesa negrura que rodea nuestras galaxias. Al acercarme al hospital, vi a los médicos y enfermera trabajando en mí en la habitación del hospital. Sin embargo, cuando dejé mi cuerpo, no veía hacia atrás. Sabía a dónde ir y nadie tenía que decirme a dónde ir.* No necesitaba ninguna dirección. No necesitaba que un ángel me tomara. Sabía que me iba a casa y que iba a estar a los pies de Jesús.

Ahora, como dije, me movía muy rápido, más rápido de lo que los humanos podemos imaginar. Como dice Corintios 2, estuve ausente de mi cuerpo, y estaba en la presencia de mi Señor.* Me movía con más rapidez de lo que tardaste en leer este enunciado. Estuve ausente de mi cuerpo y en presencia de mi Señor. Si muriese ahora mismo, estaría en el Cielo en un abrir y cerrar de ojos. Sin embargo, las oraciones de las personas que oraban por mí y otros se movían más rápido de lo que yo era.* Eran como estrellas fugaces pasándome. Todo lo que vi mientras pasaban por mi lado eran bolas que parecían fuego con una cola de luz que parecía fuego. Vi oraciones mientras iba al Cielo y oraba mientras regresaba al hospital en la Tierra. Me movía en un río de oraciones yendo al Cielo. Las oraciones que estaban cerca de mí eran para mí. Las oraciones que estaban más lejos eran para otras personas. Piensa que si estabas orando en el momento en que dejé mi cuerpo para ir al Cielo, vi tus oraciones pasar a mi lado. Pasaron por a mi lado como si estuviera en un tiempo detenido. Sin embargo, el estar ausente de mi cuerpo era estar en la presencia de mi Señor.

Dos tipos de oraciones

Sabía que había dos tipos de oraciones que pasaban a mi lado. Un tipo de oración eran las oraciones de personas que habían hecho una oración y entendían la autoridad que tenían cuando hacían esa oración.* Estaban orando con fe de corazón.* Estaban orando de acuerdo a versículos de la Biblia con entendimiento.* Estaban orando la voluntad de Dios para mí y para otros.* Así que cuando hacían esa oración, sabían en su corazón las intenciones de sus palabras. Y sabían que Dios respondería a la oración con su poder.* Juan nos habla de este tipo de oración.

1 JUAN 5:14-15 (RVC)

"Y ésta es la confianza que tenemos en él: si pedimos algo según su voluntad, él nos oye. Y si sabemos que él nos oye en cualquiera cosa que pidamos, también sabemos que tenemos las peticiones que le hayamos hecho."

No tenía ningún problema con este tipo de oración. Se nos dice que oremos su voluntad aquí en la Tierra en Mateo 6:10.*
Había

estudiado para conocer su voluntad de acuerdo con la Biblia, para que esta oración no me sorprendiera.

Este fue también el tipo de oración que mi esposa estaba orando, junto con mis hijos y otras personas. Era la voluntad de Dios que regresara a la Tierra. Dado que era su voluntad fue contestado. Pero también recuerda el sacrificio y la batalla de mi esposa para conseguir ese resultado.* Esa era también la voluntad de Dios.

El otro tipo de oración me sorprendió. Fue una oración que nunca pensé que existiera. Este fue uno de los momentos en que se rompió todos mis esquemas. Era una oración que la gente había hecho cuando realmente no tenía la plena comprensión de lo que estaba orando. No dudaban de lo que estaban orando pero simplemente no entendían el impacto total de lo que habían pedido. Estaban en el camino correcto para entender la voluntad de Dios en un área, pero aún no la entendían del todo. Tenían fe en lo que oraban, sin entender realmente por lo que oraban plenamente.*

Sin embargo, Dios honró la oración como si hubieran entendido el poder de lo que habían pedido.

Una vez más, estas personas no dudaban de lo que oraban, sino que tenían fe en todo lo que entendían. Me gusta decir que creían que estaban orando por algo que produciría una explosión tan grande como un petardo y que Dios honraría su oración como una bomba nuclear. Él respondería a la oración como si los que oraban entendieran el impacto total de sus palabras. Esto se ve mejor en los niños pequeños. He visto a un niño orar por algo y por lo que sé, se les llega a contestar. Puede que sepan muy poco acerca de la Biblia, pero sí saben de Dios. Uno puede encontrar esta oración en Efesios.

EFESIOS 3:20 (RVC)

"Y a Aquel que es poderoso para hacer que todas las cosas excedan a lo que pedimos o entendemos, según el poder que actúa en nosotros."

83

Ahora, como dije antes, fui a los pies de Jesús y me detuve allí. Las oraciones fueron directamente al trono y al Padre. No sólo fueron al Padre Dios, sino que entraron en Él mismo.* Para tratar de entender esto tendrás que comprender que el trono de Dios no es un asiento. Es un lugar. Bueno, más que eso, Él es el Trono. Cubriré el Trono de Dios en este libro más tarde. Pero por ahora, necesito continuar con lo que sucede con las oraciones que oramos. Había millones y millones de oraciones que entraban en el Padre. Nuestras oraciones se convirtieron en Él y Él se convirtió en nuestras oraciones. Vi estas luces de oraciones como estrellas fugaces entrando en el Padre. Llegué a entender que Él mismo responde nuestras oraciones.*

Al principio, cuando regresé a la Tierra y alguien me preguntó acerca de las oraciones, me costó decirles lo que vi. Esto, de nuevo, estaba fuera de mi control. Recordé haber orado al Padre y pedirle las palabras para explicarle esto a los demás. ¿Cómo explico ver las oraciones de las personas en la Tierra entrar en Dios? Cuando me dirigió al libro Éxodo, encontré la respuesta para explicar las oraciones que van al Padre.

ÉXODO 3:13-14 (RVC)

" Moisés le dijo a Dios: Pero resulta que, si yo voy y les digo a los hijos de Israel: "El Dios de sus padres me ha enviado a ustedes", qué voy a responderles si me preguntan: "¿Y cuál es su nombre?" Dios le respondió a Moisés: «YO SOY EL QUE SOY.» Y añadió: «A los hijos de Israel tú les dirás: "YO SOY me ha enviado a ustedes."

El Señor dice aquí: SOY YO. ¡ÉL ES LA RESPUESTA A NUESTRAS ORACIONES! Él contesta nuestras oraciones él mismo. ¿Por qué vino? ¿Por qué vino a los hijos de Israel? Dios nos dice en Éxodo 3:7-9 por qué vino.

ÉXODO 3:7-9 (RVC)

"Luego el Señor dijo: «He visto muy bien la aflicción de mi pueblo que está en Egipto. He oído su clamor por causa de sus explotadores. He sabido de sus angustias, y he descendido para librarlos de manos de los egipcios y sacarlos de esa tierra, hacia una tierra buena y amplia, una tierra que fluye leche y miel, donde habitan los cananeos, los hititas, los amorreos, los ferezeos, los jivitas y los jebuseos. El clamor de los hijos de Israel ha llegado a mi presencia, y he visto además la opresión con que los egipcios los oprimen."

Los israelitas oraban por un libertador, un salvador y un sanador. Las oraciones fueron al Padre Dios y Él fue- vino su respuesta. Se convirtió en su libertador, en su salvador y en su sanador. Él es nuestra respuesta a cualquier oración que le hayamos orado. Él es nuestro salvador, gozo, paz, justicia, etc. En este momento sólo dilo, "¡Dios es mi respuesta a cualquier problema que tengo y Él quiere serlo!"

¡Nuestro Dios es!

Nuestro Dios es verdaderamente la respuesta a nuestras oraciones, por lo que lo llamamos:

- **Jehovah-Jireh:** Jehová verá; es decir, proporcionará el nombre dado por Abraham a la escena de su ofrenda por el carnero que fue atrapado en el Mateoorral en el monte Moriah. La expresión es: "El Señor proporciona". Se dice hasta hoy: "En el monte del Señor se hará la provisión". "En el monte del Señor se verá", se ha considerado igual al dicho: "La extremidad del hombre es la oportunidad de Dios". (Gén. 22:8, 14)

- **Jehová-Nissi:** Jehová, mi estandarte, título dado por Moisés al altar que erigió en la colina en cuya cima permaneció con las manos alzadas mientras Israel prevalecía sobre sus enemigos los amalecitas. (Ex. 17:15 Señor es mi Estandarte)

- **Jehová-Shalom:** Yahweh es paz. Este fue el nombre dado por Gedeón al altar que construyó en Ofra, en alusión a la palabra que le dijo el Señor: "La paz sea contigo." (Jueces 6:24)

- **Jehová-Shammah:** Jehová está allí, el título simbólico dado por Ezequiel a Jerusalén, que fue visto por él en una visión. El nombre de la ciudad a partir de ese día será El Señor está allí. Era un tipo de Iglesia evangélica. (Ezequiel. 48:35)

- **Jehová-Tsidckenu:** Jehová, nuestra justicia, traducido en la versión autorizada, "Jehová, nuestra justicia", un título dado al Mesías. Judá gozará de seguridad e Israel vivirá en seguridad. Este es el nombre que llevará: El Señor nos ha proporcionado justicia. Y también a Jerusalén (Jeremías 23:6, 33:16) sea cual sea la necesidad que tengas, Él es la respuesta. La Biblia nos dice esto y es verdad.

Oraciones desde el corazón

Jesús me descargó información acerca de las oraciones. Comprendí que nuestras oraciones deben salir de nuestro corazón.* Nuestro Dios es un Dios con corazón, y busca que le hablemos desde nuestro corazón.* Todavía no tengo las palabras para describirlo, pero nuestras oraciones se convierten en sustancia.* ¿Qué clase de sustancia? No tengo las palabras para describirlo. Sólo se convierten en sustancia si estamos orando a Dios desde nuestro corazón. Él nos oye si oramos desde nuestro corazón. Es por eso que la mayoría de los niños pequeños reciben lo que piden.* En Romanos 10:9 Dios está mirando el corazón.

ROMANOS 10:9 (RVC)

"Si confiesas con tu boca que Jesús es el Señor, y crees en tu corazón que Dios lo levantó de los muertos, serás salvo."

Él oye tu corazón. Él entiende tu corazón.* Sólo escucha oraciones del corazón.* Algunos preguntan: «¿Y si tu corazón está mal cuando oras" El Espíritu Santo te lo hará saber.* El Espíritu Santo te ayudará a orar desde tu corazón.* Él desea que tus seres queridos se salven más de lo que tú puedas desearlo.* Todo lo que necesitas hacer después de orar de corazón es darle las gracias. Depende de ti escucharlo. El Espíritu Santo vino a ayudarnos a hacer muchas cosas de la manera que Dios quiere que las hagamos.* La oración es una de esas cosas. Lee Lucas 11:1-13 para entender lo que sucede con las oraciones que oramos desde el corazón.

LUCAS 11:13 (RVC)

"Pues si vosotros, siendo malos, sabéis dar buenas dádivas a vuestros hijos, ¿cuánto más vuestro Padre Celestial dará el Espíritu Santo a los que se lo pidan?!"

MATEO 7:11 (RVC)

"Pues si ustedes, que son malos, saben dar cosas buenas a sus hijos, ¡cuánto más el Padre celestial dará el Espíritu Santo a quienes se lo pidan!"

La gente ha preguntado: "¿Cómo sé si estoy orando su voluntad?" Mi respuesta a ellos es: "Pídele que te ayude a orar desde tu corazón". *Sé que Él te oye porque esa es su voluntad. Puedes leerlo de nuevo en 1 Juan 5:14-15. Entonces ora desde el corazón. Después de orar desde tu corazón, no tienes que preguntarle nuevamente.* Te habrá escuchado. Dios no es sordo ni olvidadizo, pero le oramos como si lo fuese.

Comprendí que nuestras oraciones no necesitan ser repetidas si se piden de corazón, y que nuestro Padre no olvida una oración que se pide de corazón. Podemos olvidar nuestras oraciones, pero Él no. Una persona me preguntó una vez: "¿Y si no oraba bien? ¿Tengo que volver a hacer mi petición?" Le respondí: "Puedes si quieres, pero Dios escucha tu corazón". Si le preguntas desde el corazón Él te oye. Tu petición te habrá sido concedida. Ahora dale las gracias.*

Las oraciones no tienen una fecha de expiración

Otra cosa que llegué a entender acerca de la oración es que si es una oración del corazón, no tiene una vida útil.* Dios no olvida tus oraciones. Los recuerda hasta que sean contestadas. Podria ser una cuestión de minutos, horas, días, años o incluse más, pero mis oraciones no caducan.

Esto significa que esas oraciones que sigues haciendo una y otra vez para que alguien se salve, Él te escuchó la primera vez, y tan pronto como esa persona vuelva su corazón hacia Dios, Dios estará allí para encontrarse con esa persona. Todo lo que necesitas hacer ahora es darle las gracias. Recuerda que el Padre dio a su Hijo, Jesús, para que se salvaran.* Así que dale las gracias por escuchar tu oración y por responder a tu oración. No importa si llega a responderse aquí en la Tierra o cuando estés en el Cielo.* Estés donde estés, te alegrarás.

Mi madre no aceptó a Jesús su Señor y Salvador sobre su vida hasta diez años después de que mi abuela María, su madre, había muerto. Sé que cuando mi madre dio ese paso, mi abuela Mary se alegró de la salvación de mi madre.

Algunos de los que leen esto ahora mismo son respuestas a una oración que alguien hizo hace mucho tiempo. Algunos de ustedes son la respuesta a una oración que algún tatarabuelo hizo. Oraron para que un tataranieto conociera a Jesús como Señor y Salvador.* Y como no hay fecha de caducidad, cuando volvieron su corazón a Dios, su oración fue contestada. Algunos de ustedes tienen oraciones que fueron hechas por alguien hace mucho tiempo y que Dios todavía está esperando responder. Sólo tienes que tener tu corazón dispuesto. Pídele a Jesús que te ayude.

Aquí hay algo más que debo decir sobre lo que aprendí sobre la oración. Nuestras oraciones causan un movimiento en el Reino de Dios. Jesús está planeado estrategias dependiendo de como oramos.* En la Biblia podemos leer que debemos orar para que el Señor envíe obreros a su cosecha en Mateo 9:37-38.

Jesús dando órdenes

Cuando vi a Jesús armando una estrategia, le vi arrodillándose en el suelo y apuntando su mano al suelo y en ese momento, el suelo se levantó y se convirtió en una ciudad. ¿Qué ciudad? No podría decirlo. Sólo sabía que era una ciudad terrenal. Señaló áreas en la ciudad y dirigió su mirada hacia arriba a un ser (ángel) quien se inclinaba y retrocedía con rapidez. Sabía que le había dado instrucciones de lo qué debería de hacer. Sabía que Jesús había recibido del Padre información sobre una situación en la Tierra que el Padre había obtenido de alguien que oraba desde la Tierra. Jesús recibía indicaciones del Padre en el mismo momento en el que el Padre había recibido la oración. Jesús entendía el deseo del Padre y le indicaba al ángel o ángeles que hacer. Entonces, éste se marchaba a la Tierra. El ángel o los ángeles cumplirían las órdenes que les diera Jesús.

También puedes leer sobre esto en Daniel 10:12. Sé que mi esposa puso esto en acción desde la Tierra cuando oró la voluntad de Dios. Actuó en Mateo 6:10 y Lucas 11:2.

MATEO 6:10 (RVC)

" Venga tu reino. Hágase tu voluntad, en la tierra como en el cielo."

LUCAS 11:2 (RVC)

" Jesús les dijo: «Cuando ustedes oren, digan: "Padre, santificado sea tu nombre. Venga tu reino."

Se nos dice que oremos por la voluntad del Cielo aquí en la Tierra. Esto es lo que vi cuando estaba allí. La voluntad de Dios se estaba haciendo en el Cielo como se debía hacer aquí en la Tierra.

Otra cosa que se debe decir en alto y con claridad es que tenemos al único Dios que escucha la oración.* A veces actuamos como si hubiera una serie de dioses en el Cielo, y el nuestro es sólo uno de ellos. Esto no es cierto. Sólo vi un Dios, y Él no compartía su Trono con nadie más*, ni con Mahoma, Buda, ni con ninguna otra figura religiosa. Ahora, el Padre Dios que se sienta en el Trono y Jesús, el hijo de Dios, fueron los únicos que recibieron alabanzas de la creación de Dios celestial. Ningún otro ser o creación de Dios estaba recibiendo o dando alabanza a ningún otro excepto al Padre y a Jesús.

Sólo hay un Dios que puede escuchar nuestras oraciones y responderlas en todo el mundo. Ningún otro dios puede. Debemos estar de pie para que sólo haya un Dios, y un Dios que escuche oraciones. ¡DEBEMOS CREERLO! Como dije antes, oramos al Dios que hizo al hombre, no a un dios hecho por el hombre.

Capítulo 14

¡Vi a Dios el Padre en su trono
y su amor por nosotros!

Como dije anteriormente, vi las oraciones que la gente hacía por mí y las oraciones de otras personas que entraban en Dios Padre en su trono mientras yo estaba camino al Cielo para estar con Jesús. Quiero tratar de describir al Padre como lo vi allí en el Cielo.

Dios, el Padre, es, como dice la Biblia, un Espíritu. Es puro ESPÍRITU. Es puro AMOR. Él es VIDA en pureza, y Él es pura LUZ. Eso es lo que Él es. Si pudiéramos entender eso en nuestra interpretación de la Biblia. Le digo a la gente que esta comprensión de quién es Dios me ayudó a entender mejor leía en la Biblia. Conecto todo lo que Dios hace a quien Él es: amor, vida y luz. Él no puede venir a nosotros de ninguna otra manera que no sea lo que Él es. Todo lo que Él hace sale de lo que Él es. Él es amor, como Juan nos dice en la Biblia. Él es el verdadero Espíritu y debemos adorarlo en espíritu y en verdad.* Él es sólo luz que todavía se está expandiendo. Él es la vida.

En el Cielo, escuché a toda la creación, excepto a aquellos que han sido redimidos, referirse al Padre Dios como la PALABRA.* Él es su Palabra y su Palabra es Él. Decían: "La Palabra dice".

Ahora, aquellos de nosotros que somos redimidos lo llamaríamos Padre.* Somos verdaderamente sus hijos y nos referimos a Él como Padre. Esta es una buena noticia. Los que somos redimidos somos los únicos que lo llamamos Padre.

¿Cúal es el parecido del Padre?

Me han hecho esta pregunta muchas veces: "¿Cómo es el Padre?" Me preguntan si se ve humano. Mis palabras son, Él es vasto. Él es muy vasto.* La palabra "grande" no se acerca a describir lo que vi o experimenté. Los ángeles que vuelan alrededor de Él diciendo, "Santo, Santo, Santo", son muy pequeños en comparación con Dios.* Él tiene la forma de un humano, o mejor aún, tenemos la forma de Dios.* Nos parecemos a Él. Fuimos hechos a su semejanza. Realmente no puedo poner mi pensamiento alrededor de Él. Él es grande, enorme, vasto, infinito, inconmensurable, sin restricciones, sin fin, libre y en libertad de ser Dios. Me gusta decir la palabra "vasto", sobre todo porque la palabra sale de mi boca de tal manera que no hay final. Realmente no he encontrado palabras en español para describir a Dios. No tengo pensamientos que puedan siquiera entender lo que vi. Cuando trato de ponerlo en mi pensamiento, no puedo. Si pienso en el comienzo de Él, pierdo el final, y si pienso en el final, pierdo el principio. Una vez, pensé en esto por un tiempo y supe que si seguía tratando de colocar a Dios dentro de mi pensamiento, iba a terminar con un dolor de cabeza. Así que ya no lo intento. Ustedes que conocen a Jesús como Señor y Salvador, lo verán y entenderán lo que estoy diciendo. Todo lo que puedo decir es que Él es vasto.

No hay fin para Dios padre. Él es resplandeciente como Jesús con muchos colores que salen de Él.* Jesús y el Padre Dios iluminan todo. No deja ninguna oscuridad en el Cielo. ¡Ninguno! Cada ser allí tiene a Dios el Padre y a Jesús dentro de ellos. Dios vive fuera de cada ser y dentro de cada ser. Todo ser brilla gracias al Padre Dios y a Jesús. Son la luz dentro de cada ser vivo y criatura. La oscuridad no tiene dónde esconderse.

Siento que me estoy quedando muy corto al hablarte del Padre. Parece que no hay palabras que sean apropiadas o que describan con precisión lo que vi. Jesús era más fácil de describir sólo porque tiene un nuevo cuerpo.

Nosotros que conocemos a Jesús como Señor y Salvador algún día tendremos ese mismo cuerpo que Él tiene.

El Trono del padre

Vi al Padre Dios sentado en el Trono, y de nuevo, uno de mis pensamientos limitados se rompieron. Estaba sentado en el Trono y, sin embargo, Él es el Trono.* Como dije antes, tenía estos colores que irradiaban de Él, más colores de los que he visto o experimentado. Estos colores estaban vivos. Todo lo que viene de Dios Padre está vivo. Antes del Trono, había un número incontable de criaturas celestiales dando alabanza a Dios. Más tarde, entraré más a detalle de esta alabanza ante el trono de Dios.

¿Cómo era el Trono de Dios? Esto es lo que vi: Dios era vasto y el Trono era Dios, y Dios era el Trono. Estaba en medio del Trono y conectado al Trono. Donde estaba el Trono Él estaba allí. El Trono era brillante y parecía una nube.* Siempre había creído que Dios estaba sentado en una silla, pero eso no fue así. Esta es una de mis cajas de pensamiento que explotó. El Trono en cambio parecía una nube.

Lo que experimenté sobre el Trono fue que Dios Padre era y nunca ha sido separado del Trono.* Cuando hablo del Trono, ha sido difícil para mí aceptar todo lo que experimenté ante el Trono de Dios. Dios dice en Isaías que "el Cielo es mi trono y la Tierra es mi estrado".

ISAÍAS 66:1-2 (RVC)

"Así ha dicho el Señor: «El cielo es mi trono, y la tierra es el estrado de mis pies. ¿Qué clase de casa podrían edificarme? ¿Que lugar pueden ofrecerme para mi reposo? Yo hice todo esto con mis propias manos, y fue así como llegaron a existir. Yo pongo la mirada en los pobres y humildes de espíritu, y en los que tiemblan al escuchar mi palabra."

HECHOS 7:48-50 (RVC)

"Aunque es verdad que el Altísimo no habita en templos hechos por manos humanas. Porque el profeta dice: »"Así dice el Señor: El cielo es mi trono, y la tierra es el estrado de mis pies. ¿Qué casa pueden edificarme? ¿En qué lugar pueden hacerme descansar? ¿Acaso no soy yo quien hizo todo esto?"

MATEO 5:34 (RVC)

" Pero yo les digo: No juren en ninguna manera; ni por el cielo, porque es el trono de Dios".

Este Trono que era Dios mismo es todo lo que puedo contarles de lo que vi acerca del Padre. El Trono de Dios no es lo que solía creer que era. Sólo podía decirme a mí mismo después de ver a Dios en el Trono, en medio del Trono, y ser el Trono, "¿Quién podría hacer un Trono para Dios, pero Dios?"* Y no era como lo que un humano haría.

El amor de nuestro padre por nosotros

Al mirar al Trono, vi lo mucho que el Padre nos ama. Sabía que Jesús nos amaba tanto, pero ver el amor del Padre por nosotros— ¡WOW! Le miré a los ojos. Cuando lo hice, todo lo que podía pensar era: "Me pregunto cuántos universos podrías colocar en Sus ojos". Pero de todo lo que vi, lo que realmente me destacó fue el amor que Él tiene por todos y cada uno de nosotros en la Tierra.*

Llegué a entender que cada vez que tomamos un soplo de aire, el Padre dice: "Te amo". * La única razón por la que el aire está aquí, es para ti. No hay otra razón. ¿Cuántas veces al día tomas un soplo de aire? Sea cual sea el número, así es como muchas veces Dios te está diciendo que Él te ama. Escúchalo mientras respiras di: «Te amo».

Todos somos el número uno

Ante el Trono de Dios comprendí que no hay segundo a los ojos de Dios.* Todo el mundo es el primero. No hay nadie que tome el lugar del número dos, tres, cuatro, cinco, seis, siete, ocho, nueve, o lo que sea ante Dios. Sólo hay número uno, y todos son el número uno para Él. Todo el mundo es el primero en Línea con Él. No hay diferencia ni siquiera aquí en la Tierra. Si conoces a Jesús como Señor y Salvador, eres el número uno para Él. Como dice la Biblia, somos la niña de su ojos.

SALMOS 17:8 (RVC)

"¡Cuídame como a la niña de tus ojos! ¡Escóndeme bajo la sombra de tus alas!

ZACARIAS 2:8 (RVC)

"Así ha dicho el glorioso Señor de los ejércitos, que me ha enviado a decir a las naciones que los despojaron a ustedes de todo: «El que los toca a ustedes, toca a la niña de mis ojos."

Llegué a saber lo valiosos que somos para Él*:

JUAN 3:16-17 (RVC)

"Porque de tal manera amó Dios al mundo, que ha dado a su Hijo unigénito, para que todo aquel que en él cree no se pierda, sino que tenga vida eterna. Porque Dios no envió a su Hijo al mundo para condenar al mundo, sino para que el mundo sea salvo por él."

Capítulo 15

Adoración ante el Trono de Dios

Cuando vi al Padre sentado en su Trono, había un número incontable de criaturas celestiales allí dando alabanza a Dios. Estaba de rodillas cuando miré el Trono de Dios, y esto es lo que vi. Estaba lejos y, sin embargo, estaba cerca del Trono de Dios. Algunos de los seres que estaban alrededor del Trono habían sido seres humanos de la Tierra y otros eran seres celestiales. Entre ellos y el Trono había algo así como agua. Juan dijo en Apocalipsis que era como un mar de cristal.* Parece cristal, pero no lo es. Es algo así como agua, pero en realidad no. Lo más cerca que puedo llegar a describir esta sustancia similar al agua es llamándola agua. Pero de nuevo, es como el agua, pero muy viva.

Ahora, después de este Mar de Cristal había otro líquido bajo el Trono de Dios. El Trono flota sobre este líquido y este líquido también estaba vivo. Tenía un grosor diferente en comparación con el Mar de Cristal. Estos dos líquidos fluían entre sí, pero no se solapaban ni se mezclaban ni se homogenizaban. Se mantenían muy separados. No he encontrado las palabras para describir realmente la belleza de estos dos líquidos similares al agua. Todo lo que puedo decir es que estaban vivos y cada uno tenía personalidad. En el Cielo hay otros líquidos similares al agua que están vivos y tienen una personalidad divertida.

Cuando estaba en el Cielo siempre parecía haber un sonido de alabanza y adoración. Llegué a entender que la verdadera adoración es hacer voluntad de Dios. Así que en el ambiente siempre había lo que parecía ser un sonido musical. Estaba presente en todo tiempo y, sin embargo, era como ningún otro sonido que yo conociese. Fue algo más que oírlo. Era como si uno lo experimentara. Lo más cerca que puedo llegar a describirlo es compararlo con las vibraciones que se pueden sentir de un ritmo de batería o del bajo que viene de un coche al lado del tuyo. Esta alabanza estaba siempre presente en la atmósfera.

También hubo un sonido de alabanza y adoración que se podía escuchar. Justo antes de ver lo que estaba sucediendo ante el Trono de Dios, todo a lo que llamaríamos sonido, se detuvo.* Estaba tranquilo. Todo se calmó mucho. No había ruido en absoluto. Llegué a saber qué es el silencio. En la Tierra siempre tenemos ruido a nuestro alrededor. Incluso cuando pensamos que es tranquilo, siempre hay algo de sonido sucediendo a nuestro alrededor. En ese momento no escuché nada.

El líder de adoración celestial

Lo que vi en seguida fue a uno de los seres ponerse de pie después de haber estado arrodillado Al comenzar a ponerse de pie como si fuese un elevador que se eleva lentamente se veía muy hermoso. Este ser parecía ser una mujer, pero yo sabía que no lo era. Se elevaba como a 100 pisos o más como si estuviese en un ascensor. Cuando llegó a su punto más alto, este ser levantó los brazos sobre su cabeza en toda la extensión abriendo sus dedos a lo ancho. El color de este ser era azul claro, como el Cielo en un día soleado. Parecía como si pudieses ver a través de este ser, pero era difícil de decir porque los colores del arco iris que irradiaban de Dios entraron en este ser.

Después de que este ser había terminado de levantarse, abrió la boca y rompió el silencio presente. Empezó a cantar en un idioma que entendía, pero sabía que no era un lenguaje terrenal. Este lenguaje parecía ser el propio lenguaje de este ser, pero aún así lo entendí. El sonido que salió de su boca era hermoso y, sin embargo, era sólo una nota. Provenía de la parte más interna de su ser. Este ser parecía estar haciendo música dentro de sí mismo.* Así es como todos los seres allí en el Cielo producen música.

Instrumentos musicales dentro de "El Ser"

Después de estar de regreso en la Tierra alguien me preguntó sobre la música en el Cielo. Les conté que oí y vi música saliendo de los seres del Cielo. Después de decirle esto a una persona por primera vez, me dije a mí mismo: "Dean, realmente te has ido al extremo". Pero sabía que tenía que decir lo que veía, si la gente me creía o no. Si había creído esto antes o no, tuve que decir la verdad ya que me lo habían pedido. Nunca había oído a nadie decirme que los ángeles del Cielo tenían instrumentos dentro de sí mismos. Esa fue la primera vez que dije algo que no sabía que estaba en la Biblia, pero no sería la última. Más tarde, descubrí que Lucifer, ahora Satanás, fue creado con instrumentos en su interior.

EZEQUIEL 28:13 (RVC)

"Estuviste en el Edén, en el huerto de Dios; tus vestiduras estaban adornadas con toda clase de piedras preciosas: cornalina, topacio, jaspe, crisólito, berilo, ónice, zafiro, carbunclo, esmeralda y oro; todo estaba cuidadosamente preparado para ti en el día de tu creación."

Timbres o tabrets: Toph griego, Pronunciación: tofe Definición: 1) timbal, pandereta. Origen: taphaph, Pronunciación: taw-faf, Definición: 1) para reproducir o sonar el timbre, batir, tocar, tambor (en un timbre u otro objeto)

Tubería: Pronunciación de la palabra griega neqeb: neh'keb, Definición: 1) ranura, zócalo, agujero, cavidad, ajustes 1a) término técnico relacionado con el trabajo del joyero.

El sonido de la música en el Cielo

Ahora las notas que salían de este hermoso ser salían una a la vez. Este ser comenzaba con una nota alta y luego pasaba a una nota baja, para luego regresar a una nota alta pero más baja que la nota alta anterior. Luego vuelve a una nota baja pero más alta que la nota baja anterior. Las notas parecían estar en capas, una encima de la otra. Las notas altas sobre otra nota alta y las notas bajas sobre otra nota baja. A medida que este ser pasaba de lo alto a lo bajo, el movimiento aumentaba entre las notas altas y las bajas. Se movía entre cada nota más rápido y más rápido. Tuve la capacidad de seguir cada nota a medida que salían del ser, no importa lo rápido que estuvieran saliendo del ser. Pude ver las notas saliendo de la boca del ser. Tenían sustancia, pero ésta era una sustancia que no he encontrado en la Tierra para compararla. Estaban una encima de la otra. Podías sujetarlos y caminar sobre ellos. Podías oír y experimentar cada nota que salía de la boca de este ser.

Este hermoso ser azul seguía cantando y produciendo música hasta que llenó el ambiente con los sonidos de estas notas. Estas notas finalmente terminaron entrando en el Padre en el Trono. Podía oír los sonidos mientras salía del Cielo. Podía oír los sonidos incluso después de salir del Cielo. Los oigo incluso ahora. Cuando esto finalmente alcanzó el ápice o la parte superior de las alabanzas, se detuvo y se inclinó y se puso de rodillas, bajando lentamente como en un ascensor.

¿Qué estaba haciendo este hermoso ser? Durante mucho tiempo después, intentaba cantar la música que oía en el Cielo. He tratado de tararear y silbar los sonidos. Intenté cualquier cosa que produjera música para sacar los sonidos de mi cabeza. No es que los sonidos me volvieran loco; simplemente quería que todo el mundo escuchara lo que yo había oído en el Cielo. Incluso intentaría que los que producen música construyeran algunos de los sonidos. Todos se quedaron muy cortos, debido a las estructuras o reglas en las que escriben la música. Empecé a darme cuenta que no podría replicar esta música hasta que entrara en contacto con la persona o personas "adecuadas" aquí en la Tierra.

¡Ha dado la nota!

Estaba en Creswell, Oregón, testificando en una iglesia sobre el Cielo. La gente que nos había invitado tuvo una pequeña reunión el día anterior para que escucháramos a una persona de Corea que tocaba el violín. Mientras tocaba, se acercaba a algunos de los sonidos que escuchaba en el Cielo. Eran casi los sonidos que oía del hermoso ser azul claro. Le pregunté si podíamos encontrar tiempo para ver qué podíamos sacar de mi cabeza con estos sonidos. Así que el domingo después de la iglesia me senté con él. Comenzó a tocar diferentes notas en su violín. A medida que se acercaba a la primera nota que salía de la boca del ser me emocioné. Luego acertó la nota que escuché por primera vez salir del ser. Lo detuve y le dije: "¡Esa es! ¡Eso es todo, Esa es!"

Le pregunté qué nota era. Dijo la nota A.

Luego me dijo en un inglés roto que era increíble que reconociera esa nota como la primera que salió de la boca del ser. Procedió a decirme por qué estaba asombrado. Fue un violinista de concierto que tocó en una orquesta. Dijo que en una orquesta, antes de empezar a tocar, él y otros en la orquesta afinaban a partir de esta nota A. No empezaban a tocar música hasta que todos en la orquesta estaban alineados en la nota A.

Un llamado a la adoración

Después de dialogar acerca de esto con más detalle, llegué a entender lo que este hermoso ser azul claro estaba haciendo. Este ser estaba haciendo que todas las demás creaciones de Dios afinaran la nota de A que venía de su boca. Estaba llamando a todo el Cielo a alabar al Padre y a Jesús, tal era el propósito de este ser.* Este ser estaba conectando con toda la creación de Dios para alabar a Dios. Conectó sonidos con sustancia a cada una de las creaciones de Dios en el poder de su propósito de llevar un sonido de alabanza a Dios. Este ser producía notas de alabanza, en las que cada nota era una completa alabanza a Dios. Cada nota conectaba una creación celestial con la alabanza al Dios Padre.

Después que el hermoso ser azul volviera a arrodillarse, todavía podía oír los sonidos que salían de su boca mientras el resto del Cielo comenzaba a alabar a Dios. Vi a la derecha de mí y a la derecha del Trono, una gran multitud de seres que se levantaron, como si en varios ascensores, de rodillas como el primero que lo hizo.*

La multitud de seres

Esta multitud de seres consistía en seres celestiales y otros que habían sido seres humanos. Los números eran más de lo que podía contar. Sabía que algunos de los seres celestiales habían estado allí ante el Trono por lo que me parecía, para siempre.* Cada ser brillaba y era hermoso. Los redimidos que habían sido humanos en la Tierra brillaban y eran blancos como la luz. Los otros seres eran todos de colores y resplandecientes.*

Esta multitud comenzó a alabar al Padre.* Cada ser cantaba una canción de amor al Padre en su propio idioma. Yo, nuevamente, comprendí todos los idiomas y cada canción era una canción de amor individual para el Padre. Cada canción sonaba tan maravillosa, tan hermosa, tan encantadora y tan indescriptible con palabras humanas.*

Una vez más, he intentado tararear los sonidos, silbar los sonidos, cantar los sonidos, y todavía no me he aproximado.

Cuando un grupo de cantantes terminaba, otro grupo se levantaba, o sólo uno de ellos se levantaba. Se levantaban de rodillas para cantar. Una vez más, cada nota se hizo con sustancia. Podrías sostener cada nota en tu mano. Cada nota era una alabanza en sí misma. Cada uno cantando fuera de su ser más íntimo. Esto siguió sucediendo una y otro vez. Estos seres se levantaban y se inclinaban de rodillas. No sonaban como si estuvieran armonizando o como lo haría una sinfonía o orquesta. No vi instrumentos. No estoy diciendo que no hubiera instrumentos en el Cielo. Simplemente no vi ninguno porque estaba experimentando los sonidos que salían de cada ser. Cada ser parecía no necesitar ningún instrumento para hacer el sonido de un instrumento. La voz de cada ser tiene un lugar en el Cielo. Llegué a comprender que Dios ha hecho un lugar en el Cielo para cada una de nuestras voces que nadie puede quitar ni sustituir. Estas voces no chocaban con las de los demás cuando alababan.

La parte de adoración del mar similar al cristal

Ahora estoy a punto de abrir un área que pocos han visto y han vuelto aquí a la Tierra para contarlo. No diré que estaba fuera de mi pensamiento. Ni siquiera pensé en las cosas que vi en el Cielo mientras alababan a Dios Padre ante su Trono. Una vez más, sólo tengo que decir lo que vi.

Después de que las notas de la multitud de seres los abandonaran, las notas parecían bailar mientras se elevaban hacia el Padre en el Trono. Antes de que estas notas llegaran al Padre, el Mar de Cristal que estaba frente al Trono se elevó en la atmósfera e interceptó las notas. Entonces este mar formó un agujero en sí mismo para que las notas pudieran bailar a través.* Esto parecía cambiar el sonido de las notas, haciéndolos más altos o más bajos, como soplar a través de un cuerno, flauta o algún otro instrumento. ¡Fue hermoso! Los sonidos que salieron del Mar de Cristal fueron increíbles. El Mar de Cristal estaba tocando las notas de los seres como si una persona tocara el piano. El mar cristalino había estado haciendo esto por lo que me pareció para siempre.

Bailando en el Cielo

El mar cristalino también hizo movimientos en la atmósfera que trajeron alabanza al Padre. Qué maravillosos movimientos de amor realizó el Mar de Cristal ante el Padre. Después de que las notas dejaron al Mar de Cristal en la atmósfera, las notas se encontraron con los colores que salían del Padre.* Estos colores estaban vivos y se aferraban a las notas y bailaban con ellas. Los colores bailaban con las notas hasta el Padre y se soltaban, justo antes de que las notas entraran en el Padre.

Mientras seguía las notas que pasaban por el Mar de Cristal, mientras las notas cambiaban y alababa al Padre con una serie de bucles en la atmósfera y otros movimientos, noté otra multitud de seres. Esta multitud estaba compuesta de nuevo de algunos seres celestiales y algunos eran seres humanos que habían estado aquí en la Tierra. Estos seres bailaban en alabanza al Padre en el Trono. Estaban en la atmósfera sobre el agua. Estos seres danzaban con bellos movimientos para el Padre en el Trono. Detrás de la danza, delante de la danza, debajo de la danza y por encima de la danza de estos seres estaba el Mar de Cristal, los colores y las notas musicales.

Los truenos del Cielo

Las atmósferas alababan al Padre en su Trono.* Me recordó al 4 de julio en los Estados Unidos de América. Aquí, en Estados Unidos, hacemos estallar juegos artificiales en los cielos. Las atmósferas en el

Cielo estallaban en alabanza al Padre en el Trono. Juan en Apocalipsis lo describió como un trueno.

APOCALIPSIS 14:2 (RVC)

"Entonces oí una voz que venía del cielo, semejante al estruendo de un poderoso caudal de agua, y al sonido de un fuerte trueno. La voz que oí parecía ser la de arpistas que tocaban sus arpas".

Los seres que vuelan alrededor del Padre

Luego estaban los seres que volaban alrededor del Padre en el Trono. Había criaturas vivientes, como dijo Juan en Apocalipsis 4:6-7, 9 y serafines, como los llamó Isaías en Isaías 6:2-4.* Estos eran los seres que volaban alrededor del Padre en el Trono diciendo: "SANTO, SANTO, SANTO". Vi a una multitud volando alrededor del Padre en el Trono. Algunos tenían lo que parecían ojos en sus alas y otros no.* Lo que parecían ojos en las alas parpadeaban, y algo salía de ellas en alabanza al Padre en el Trono.

Por encima del Padre en su Trono está su gloria, su maravillosa gloria. Dentro de su gloria está la alabanza hacia sí mismo.* Algunos de ustedes entenderán lo que acabo de decir. Algunos de ustedes no lo comprenderán. Pero nadie puede alabar a Dios mejor que Dios porque sólo Dios sabe quién es Él verdaderamente. Así que sólo su gloria, puede alabarlo en perfección.

Esta adoración ha cambiado mi vida

Todo lo que he contado aquí se queda realmente corto respecto a todo lo que vi ante el Trono de Dios. No me han llegado las preguntas para contar más; sin embargo, hay mucho más que ocurre ante el Trono de Dios. Todo lo que puedo decir es quienes que conocen a Jesús como

Señor y Salvador verán todo lo que he tratado de revelarles aquí y aún más.

Mientras veía y escuchaba la adoración ante el Trono de mi Padre, escuché un sonido tan hermoso que ha cambiado mi adoración a Dios para siempre. Esta parte que estoy a punto de decirte cambió por completo mi vida, más aquí en la Tierra. Experimenté algo acerca de Dios Padre que cambió la forma en que contemplo la vida. Ha sido difícil explicar esto a otros, por lo general los cristianos. Cuando tú, como ser espiritual puro, llegas a ver al Padre, lo ves completamente diferente a como le has visto antes.

La canción de amor del Padre

Permítanme que intente explicar a cada uno de los que están leyendo ahora lo que digo. Oro para que el corazón de tu entendimiento esté abierto para recibir lo que he llegado a conocer sobre nuestro Dios Padre.

Ante el Trono, después de haber visto todo lo que expuse en este capítulo, escuché otro sonido que me costó aceptar cuando regresé a la Tierra. Fue un sonido que sabía me dio vida, y una vida más abundantemente. Este sonido era el Padre cantando a todos y a cada uno de los seres que le daban alabanza ante el Trono.*

Estaba cantando una canción de amor individual a cada una de sus creaciones. La canción estaba viva y parecía entrar en los seres para los que estaba destinada. Lo que vi fue como lo que se lee en el cántico de Salomón en la Biblia. Al igual que en el libro del Cantar de los Cantares, hay un intercambio de palabras de amor para que cada persona exprese su amor por la otra. Eso es lo que ocurría en el Cielo. El Dios Padre expresaba su amor por cada ser y ellos expresaban su amor por Él.

Ahora creo que eso nos ocurre aquí en la Tierra cuando expresamos nuestro amor a Dios. No he intentado copiar su canción. Lo que realmente conmovió mi espíritu fue que cuando el Padre cantó su canción, y salió de su Espíritu, la canción no fue tocada por ninguna otra creación. Nada en el Cielo la detuvo o pensaría en impedir que la canción llegara al ser a quien el cántico era dirigido.

Su canción de amor es sólo para nosotros

Con todos los cantos que vinieron de los seres celestiales al Padre que se sienta en el Trono, el Mar de Cristal tuvo su parte y los colores tuvieron su parte en esos cantos. Pero cuando se trataba de la canción de Dios, nadie tenía un papel en ella más que Él y el ser para el que estaba destinado. Esta canción era esencia de amor. Comprendí el poder del amor cuando escuché esta canción de amor que provenía del Padre.

Sabía que el Padre no sólo enviaba una canción de amor a cada una de sus creaciones celestiales, pero también a sus creaciones terrenales. Está enviando amor a todas y cada una de las personas del planeta. El amor de Dios está siendo enviado a todas y cada una de las personas todo el tiempo, y nada puede impedir que este amor nos alcance.* Podemos negar su amor, rechazar su amor o actuar como si su amor no estuviera allí, pero Él sigue enviando su amor a nosotros.* Me gustaría que la gente realmente entendiera lo que estoy escribiendo aquí. He dicho esto antes, que cada vez que tomamos un soplo de aire, Él está diciéndonos, "Te amo". Si ahora respiras aire, escucha al Padre diciéndote que Él te ama.

"Porque Dios amó tanto al mundo" se hizo más real para mí después de ver y escuchar este canto de amor del Padre a cada ser allí presente. Llegué a comprender que si, por alguna razón, Jesús no cumplía con su parte de redimirnos a los humanos en la Tierra, el Padre hubiese encontrado otra manera de llegar a nosotros y redimirnos. ¡Así es el amor que nos tiene!

Capítulo 16

La creación de seres de Dios

En el Cielo vi distintos seres. Había quienes habían sido humanos aquí en la Tierra y ahora están entre los redimidos en el Cielo.* Estos seres habían estado en la Tierra y habían hecho de Jesús su Señor y Salvador mientras vivían en esta Tierra.*

Luego estaban las creaciones celestiales. También son seres, pero nunca han sabido lo que es ser redimidos. Los llamo seres porque son todo lo que fueron creados para ser. Son perfectos en todos los sentidos, así como el Padre, Jesús y el Espíritu Santo son perfectos.* Todo lo que vi fueron seres perfectos. Son la rectitud de Dios debido a lo que Jesús ha hecho por aquellos que han sido humanos aquí en la Tierra, y por aquellos seres celestiales que nunca eligieron seguir a Satanás.

Todos los seres de Dios eran todo para lo que Dios los había creado. Simplemente brillaban con la gloria del Dios de toda la creación. Estaba experimentando la creación de Dios mientras Él la creaba. Experimenté la vida al verle crear la vida. He visto la vida siendo creada.*

Mi familia y mis amigos me dan la bienvenida

Uno de los acontecimientos que, de nuevo, rompió los esquemas de mis pensamientos, fue verme con mi familia. Había creído que uno podía reconocer a su familia en el Cielo, pero no creía realmente que importara si lo hacía o no. Lo veía como si todos estuviéramos en la familia de Dios y eso era lo que contaba, y eso es cierto. Todos somos la familia de Dios. Pero me pasó algo que no esperaba que sucediera cuando estaba en el Cielo.

Jesús estaba de pie a la izquierda mía, y como dije antes, Él estaba dirigiéndose a un medio círculo de seres. Al otro lado de Él estaba mi familia. Vi a mi abuela Mary, a mi abuelo Lewis, a mi abuela Ruth, a mi abuelo Begron y a muchos de los hermanos y hermanas de mis padres.* Además, había muchos seres que estaban relacionados conmigo, pero nunca los había visto aquí en la Tierra durante mi vida. Comprendí que eran parientes que habían muerto antes de que yo naciera. Eran generaciones y generaciones.

Al principio, no sabía por qué estaban allí, pero mi abuela Mary me comunicó por qué habían venido todos. Destacó frente a todos los demás que eran mis familiares y amigos. Me comunicó que venían a darme la bienvenida al Cielo. Todos los miembros de la familia con los que estaba conectado por el ADN que había en mi interior estaban allí; el ADN del que Dios me había hecho.*

También aparecieron amigos del pasado. Todos habían venido a saludarme al Cielo. Habría sido una gran reunión familiar si Jesús no me hubiera enviado de regreso. El solo pensarlo ahora me llena de alegría.

Mi abuela Mary

Creo que la razón por la que mi abuela Mary estaba al frente es porque siempre le he dado el crédito por haber intervenido por mi para que yo llegase el Reino de Dios. Cuando era niño, recuerdo haber ido a visitar a mi abuela Mary en Houston, Texas. En su casa tenía una radio encendida en la cocina que siempre en sintonía con predicaciones y cantos cristianos. Al pasar por la cocina no podías dejar de escuchar el programa de radio que se emitía. Oí por primera vez a George

Foreman predicar en esa radio. Esto fue antes de que empezara a hacer sus comerciales de parrillas.

Así que sabía que la abuela tenía algún tipo de conexión con Dios.

Después de aceptar a Jesús como Señor y Salvador a los 17 años, se lo dije. Murió antes de que pudiera hablar con ella sobre mi nuevo nacimiento. Desde entonces, en mi corazón estaba el deseo de ver a mi abuela Mary cuando llegara al Cielo, si es que eso era posible. No estaba seguro de que eso sucediera. La única persona delante de todos los demás era ella. Me sorprendió y me emocionó.

He llegado a creer que aquellos que anhelan ver a un miembro familiar, que se ha ido al Cielo antes que ustedes, se encontrarán con este miembro familiar justo después de conocer a Jesús. Creo que todos los que han hecho de Jesús su Señor y Salvador se encontrarán con Él primero por encima de todo. Tu espíritu dentro de ti, el verdadero tú, anhela estar con tu Señor y Salvador.

Este evento cambió la forma en que miro a mi propia familia que todavía está aquí en la Tierra. No sabía si mis tres hermanos o mi padre tenían una relación con Dios. Me pareció que no conocían a Jesús. Sabía que mi madre lo hacía porque ella y yo hablábamos de Dios cada vez que la llamaba. También orábamos el uno por el otro, así que estaba seguro de su relación con Dios. Sé que depende de Jesús y no de mí salvar a mi familia, pero cuando regresé, quería mostrarles el amor de Dios como nunca había hecho antes. Debido a creer en Jesús, me había alejado de mi familia. No tenía los mismos intereses que ellos. Así que no hice mucho esfuerzo para mantener una relación cercana con ellos. Cuando mi hermano mayor y mi papá pasaron por la cortina en la UCI, recuerdo haberme dicho: "No conozco a esta gente". Sabía que necesitaba cambiar eso.

Asuntos familiares en el Cielo

Con ese encuentro en el Cielo con mis familiares llegué a saber cuán importantes son las familias para Dios. Recuerdo haber experimentado el amor que tenían por mí. Todavía nos aman incluso cuando estamos en el Cielo. Mis familiares y amigos tenían un amor puro por mí.* Estaban contentos de que yo estuviera allí y deseaban que yo estuviera con ellos. Este deseo era fuerte, más fuerte que los deseos que tenemos al orar por nuestros seres queridos mientras todavía vivimos aquí en la Tierra. Este deseo que tenían por mí de estar con ellos es el mismo deseo que tenemos para que nuestros seres queridos vivan con nosotros en la Tierra para siempre.* La gente aquí me ha preguntado si oran por nosotros allí. Le dije: "No, pero tienen un gran deseo de que estemos con ellos allí, donde todo está bien, todo es perfecto, y todo es como Dios quiere que sea".

Comprendí que estos miembros familiares no quieren regresar para estar en la Tierra.* Están siendo todo lo que fueron creados para ser. Esta no es sólo mi familia, sino todos los miembros de tu familia que aceptaron a Jesús como Señor y Salvador. Están esperando que estés con ellos. No están allí orando por ti como he dicho, pero de nuevo, tienen un gran deseo de que estés allí con ellos, al igual que Jesús. Tienen un deseo perfecto de que estés con ellos. Aún te aman mucho. Llegué a entender por qué lloramos cuando alguien muere. Nunca fuimos destinados a estar separados.* Dios no tenía ese plan para nosotros. Morimos en esta Tierra a causa del pecado y sólo por el pecado.

¡Trae tantos como puedas!

Como dije anteriormente, mi abuela Mary me miró y descargó un mensaje para los demás y para mí. Me dijo que trajera a tantos de nosotros como pudiese. Comprendí que quería que trajera a tantos miembros de nuestra familia conmigo como pudiera. Sabía que los miembros familiares de todos deseaban lo mismo. Quieren que conozcan a Jesús como Señor y Salvador, para traer a tantos de sus parientes y amigos como puedan, con ustedes al Cielo.

Llegué a entender que una de las principales razones por las que Jesús me envió de regreso es para decírtelo. Jesús nos ha enviado a nuestra propia familia primero. Él quiere que hablemos con ellos y oremos por ellos.* Recuerdo haberle dicho a una persona aquí en la Tierra que sería una pena que fuera la última persona de su familia en llegar al Cielo. Sería una pena. Sería una vergüenza terrible, terrible.

Sé que algunos de ustedes provienen de familias que pensarían que nunca llegarían al Cielo, pero recuerden que USTEDES han salido de esa familia. Sé que Dios está haciendo todo lo posible por alcanzarlos. Él te ha alcanzado y te está alcanzando ahora, mientras lees este testimonio. Así como mi abuela Mary me dijo: "Trae a tantos miembros de tu familia contigo al Cielo como puedas", creo que todos debemos llegar a tantos miembros de nuestra familia como podamos. Si los que conocemos a Jesús como Señor y Salvador llegaremos a nuestros propios miembros de la familia, llegaríamos a mucha gente en este planeta.

Cómo era la gente

Los miembros de mi familia en el Cielo y otros que habían sido seres humanos aquí en la Tierra resplandecían y tenían un gran gozo.* Resplandecen con la gloria de Dios. Este brillo parecía una larga túnica, pero en realidad era la gloria de Jesús que salía de sus seres.* Este resplandor brillaba fuera de ellos y se movía como si el viento lo estuviera soplando todo el tiempo. Era la gloria de Jesús y su gloria está viva. La vida misma de Jesús salía de sus adentros y los vestía con ropas resplandecientes. Por eso no hay oscuridad. Todo tiene la gloria de Dios a través de ellos. No hay lugar donde la oscuridad pueda esconderse. Estos seres también tenían una gran sonrisa. Esta fue la prueba de la alegría íntegra que sentían.

¿Hay niños ahí?

Los seres celestiales no envejecen porque no hay tiempo en el Cielo.*
La gente me pregunta todo el tiempo si hay niños en el Cielo. Les
digo que no hay tiempo en el Cielo, así que no hay envejecimiento
en el Cielo. Esto no significa que no vi lo que llamamos niños, o
jóvenes, o ancianos. No hay edad en el Cielo. Todos son seres y pueden
mostrarse como quieren que los veas. Pueden mostrarse tal y como
eran de jóvenes, de viejos o de niños cuando estaban en la Tierra. Por
lo tanto, no hay niños en el Cielo como conocemos a los niños aquí.
No hay crecimiento en el Cielo porque no hay tiempo. Sabía que los
niños menores de la edad de responsabilidad van al Cielo. Así que
todos los niños abortados están en el Cielo, pero no están allí como
niños. Están siendo todo lo que Dios había creado que fueran. Son
seres con una alegría cierta y una gran sonrisa.

Todavía tendremos libre albedrío allí

Cada ser tenía la capacidad de pensar en el Cielo. Todavía tenían el
derecho de elegir lo que hacían en el Cielo. Eligen lo correcto todo
el tiempo. Todos ellos tienen la capacidad de moverse con rapidez.
Como dije anteriormente, todo lo que tenía que hacer era pensarlo,
y yo estaba allí. Todos ellos tienen la capacidad de tener amor puro
por los demás. Tenían más dones espirituales de los que nunca se
te pudiese ocurrir aquí. La única forma en que una persona puede
acercarse a entender cómo será en el Cielo es de la Biblia. Yo era un
ser espiritual que se hizo a imagen de Dios. Estaba siendo lo que Dios
me había hecho ser desde el principio. Estaba en casa y lo sabía. Estarás
en casa y lo sabrás, y nunca te irás.

¿Qué haremos en el Cielo?

Cuando estás en el Cielo para siempre, estás cumpliendo tu propósito.* Tuve una gran alegría, y los otros seres a mi alrededor tuvieron una gran alegría. Estaban cumpliendo su propósito en el Cielo. Me han preguntado varias veces qué haremos allí. Cuando estuve allí, vi a seres que hacían muchas cosas para cumplir los deseos de Dios. Algunos de los seres estaban ante el Trono del Padre alabándolo. Los vi en todas las áreas de alabanza sobre las que escribí antes en este libro, cantando, bailando, volando y más. Algunos seres estaban en el medio círculo antes de que escuchara a Jesús dar órdenes. Tenían un papel que desempeñar en la estrategia que Jesús ordenaba. No he encontrado las palabras para contar todo lo que vi hacer a otros seres en el Cielo, pero sabía que todos lo hacían con alegría. Nadie estaba pensando que su propósito era menor que el propósito de alguien más.* Todos sabían que su propósito era importante en el Reino de Dios.

Uno de estos propósitos era esperar a Jesús y al Padre, pero cada creación de Dios se servían unos a otros.* No había unos de mayor o menor importancia. Cada creación era igual.* Vi cada creación de Dios trabajando con el agua viva, árboles, flores, montañas, valles, otros planetas, y lo que llamaríamos espacio exterior. Vi seres haciendo algo con soles y estrellas, ayudando a moverlos. Vi seres trabajando con los otros seres celestiales que llamamos ángeles.

Algunos de los santos bíblicos que vi

Vi a María que había dado a luz a Jesús en la Tierra haciendo algo con el agua viva allí en el Cielo. No he encontrado palabras para explicar lo que María hacía con el agua. Vi a Pedro y Santiago en el medio círculo ante Jesús. Tenían un papel en el ejército celestial de Dios. Sé que eran comandantes de algún tipo. Los vi moverse con cada orden que Jesús daba a la unidad que los rodeaba. Sabía que Pablo era parte de lo que sucede con la alabanza y adoración aquí en la Tierra. Pero nuevamente, no tengo las palabras en inglés para decir lo que sabía que estaban haciendo. Tenía algo que ver con bailar y alabar al Señor aquí en la Tierra. Abraham tenía un lugar que parecía tan impresionante ante el Trono de Dios. Tomaba de la luz viva y la elevaba al Trono de Dios. Dios la tomaba dentro de sus manos y la expelía a la atmósfera. Ahora bien, ¿cómo puedo pintar un cuadro de esto para que otros lo entiendan?

Había más seres haciendo cosas asombrosas con propósitos para Jesús y el Padre. Sólo llegué a entender que tenemos dones espirituales que no se añaden, pero somos nosotros. Nuestros dones espirituales aquí en la Tierra son los dones que se nos dan para el Reino de Dios.

Capítulo 17

Este no es nuestro hogar

2 CORINTIOS 4:18 (RVC)

"Por eso, no nos fijamos en las cosas que se ven, sino en las que no se ven; porque las cosas que se ven son temporales, pero las que no se ven son eternas".

Todo es perfecto y a todo el mundo se le ha dado la oportunidad de tener el derecho de ser justificado y vivir en el lugar de los justos. Todo lo que hay está vivo y todo el mundo tiene derecho a vivir con Dios para siempre. Comprendí que estamos aqui para decirles a los demás quién es Jesús y que cuando partan, esténcon Dios.

2 CORINTIOS 5:1 (RVC)

"Bien sabemos que si se deshace nuestra casa terrenal, es decir, esta tienda que es nuestro cuerpo, en los cielos tenemos de Dios un edificio, una casa eterna, la cual no fue hecha por manos humanas".

Todo está vivo en el Cielo, y no existe ninguna muerte allí. Dios es pura vida, luz y amor.

Solo estamos de paso

Cuando estaba en el Cielo, sabía que estaba de paso aquí en la Tierra. Fue genial saber realmente que esta Tierra no era mi hogar.* Siempre he sentido que no era mi hogar, pero cuando estaba en el Cielo, sabía sin duda que sólo estaba de paso.

Jesús quiere que, cuando cuente mi historia, todas las personas con las que hable sepan que la Tierra no es nuestro hogar y que nosotros, que conocemos a Jesús como Señor y Salvador, estamos de paso. La Tierra es la minoría en comparación con el Cielo, donde residen el Padre Dios, Jesús y el Espíritu Santo. Me pareció que esta Tierra era sólo una pequeña parte del panorama general, una parte muy pequeña. Pero, mucha gente parece pensar y actuar como si esto fuera todo lo que hay.

Esta Tierra no es nuestro hogar

Somos embajadores aquí, nosotros que conocemos a Jesús como Señor y Salvador.* La mayoría de nosotros estamos de acuerdo con eso, pero no siempre actuamos de esa manera aquí. Actuamos como si este fuera nuestro hogar para siempre, sin embargo, Jesús nos dijo que iba a preparar un lugar para nosotros. Él no estaba hablando de una casa como decimos muchas veces, sino de un lugar en el Cielo sólo para nosotros. Cuando estuve allí, supe que estaba en mi lugar y nadie más podía tomar mi lugar. Fue preparado para mí. También sabía que no iba a ocupar el lugar de nadie. Cuando hablo de la música allí, comprendí que la canción de cada ser tenía su propio lugar. Sabía que estaba en mi lugar y nadie podía quitármelo. Jesús tiene un lugar en el Cielo sólo para ustedes que lo conocen como Señor y Salvador. Fue hecho sólo para ti y nadie más.

La Tierra no es nuestro hogar. Esta Tierra se está deteriorando. Estamos en una cuenta regresiva al fin de esta era. La Biblia nos lo dice. El otro día leía que la temperatura ha aumentado a un promedio del

30% desde los años 50. Eso significa que la Tierra se está calentando. Hemos oído de los científicos por un tiempo que esto está sucediendo. Oímos hablar de la selva tropical y todos los árboles que se están talado, y de las consecuencias de esto en la Tierra. El otro día también leí que el salmón coho de mi zona está contaminado y que no lo deberíamos de consumir en cantidades grandes, sobre todo los niños y las mujeres embarazadas porque pueden provocar cáncer. Luego, pasaron a hablar de otros peces del estrecho de Puget, aquí en el estado de Washington, y de cómo estaban contaminados y, de nuevo, de que no deberíamos comer en grandes cantidades.

Podría seguir hablando de esto, pero todos estamos escuchando esta misma información. Sin embargo, estamos tratando de hacer de este nuestro hogar, sabiendo que no lo es. La Tierra de hoy no es tan buena como la Tierra de ayer y la Tierra del mañana no será tan buena como la de hoy.*

Mi abuela Mary quería que llevara este mensaje a otros miembros de la familia aquí en la Tierra. Este era un gran deseo de ella y de los demás seres celestiales. Este es un deseo de toda la creación de Dios. Este es el único deseo de nuestro Salvador para toda la humanidad.* Dios mismo quiere que sepamos que este no es nuestro hogar y que sólo estamos de paso.* Superaremos todos los problemas que tengamos.* Todos tendremos que dejar esta Tierra algún día. Seguiremos viviendo, ya sea en el Cielo con Dios, o en el infierno donde todo está mal. Pero tendremos que dejar esta Tierra.*

La anciana

Después de compartir esta historia del Cielo en una Iglesia Metodista Unida de Seattle, Washington, conocí a una anciana de 91 años. Ella había tenido un derrame cerebral unas semanas antes de que viniéramos a compartir y no podía hablar o moverse. Estaba en silla de ruedas cuando la conocí. La miré a los ojos y supe que creía. ¡Oh, cómo creía! Vi fe en sus ojos. He escuchado a la gente hablar de ese tipo de fe, pero nunca lo vi así. Cuando la miré a los ojos, parecía como si estuvieran diciendo: "Gracias, gracias y gracias". Luego, parecieron cambiar un poco, y me pareció que decía: "¿Quieres venir a visitarme?". Le dije, "Iré a verte". Entonces me jaló hacia abajo hasta que mi oreja estuvo cerca de su boca, y me preguntó: "¿Cuándo?". El pastor me había dicho que no podía hablar ni moverse. Cuando me jaló al suelo y dijo: "¿Cuándo?", fue la primera palabra que pronunció desde que tuvo el ataque. Ese fue un momento glorioso que pude experimentar. Fui a verla unas semanas más tarde en un asilo de ancianos y ella se movía y hablaba aún más.

Cuando morí, supe a dónde ir y nadie me decía a dónde ir. Era como un salmón yendo de regreso a casa. Nadie tenía que decírmelo. Y cuando llegué allí, supe que debía estar en mi lugar. Todo estaba bien, y yo estaba justo donde se suponía que debía estar. Estaba en casa. Estaba en casa. ¡ESTABA EN CASA!

Capítulo 18

Ángeles

"Ángel" es una palabra que a menudo se utiliza para describir una apariencia sobrenatural de un ser celestial. (Lucas 24:34, Hechos 2:3; 7:2,30,35; 9:17; 13:31; 16:9; 26:16).

Al contar esta historia, me han hecho muchas preguntas sobre los ángeles. No me he centrado en los ángeles por una razón. A los humanos nos gusta hacer dioses a las creaciones de Dios, y los ángeles son uno de ellos.* A los humanos también les gusta hacer dioses de los espíritus malignos, diablos y demonios.* Tenemos que entender que los ángeles son una de las creaciones de Dios, y no debemos adorarlos de ninguna manera. Están hechos para el propósito de Dios.* No se les debe adorar. Sólo se le debe adorar a Dios, el Padre, el Hijo y el Espíritu Santo. ¡Sólo Dios!

La gente probablemente vería más ángeles, pero los ángeles no quieren ser vistos o ser adorados. Llegué a entender esto por lo que me pasó. La adoración y la alabanza sólo eran dirigidas a Dios. Para entender lo que voy a escribir sobre ángeles, primero debes entender el significado de la palabra "ángeles".

Significado hebreo: mal'ak Kalm 1a) mensajero, representante; 1b) mensajero; 1c) ángel; 1d) el ángel teofánico de una raíz no utilizada que significa despachar como diputado; un mensajero; específicamente, de Dios, es decir, un ángel (también profeta, sacerdote o maestro): -embajador, ángel, rey, mensajero.

Significado griego: aggelos aggelov: un mensajero, enviado, uno que es enviado, un ángel, un mensajero de Dios. De aggello (para traer nuevas); un mensajero; especialmente un "ángel"; por implicación, un pastor: -ángel, mensajero.

El nombre no denota su naturaleza, sino su oficina como mensajero. En el Cielo no hay ángeles, son vistos como una creación amorosa de Dios. Son sólo un ángel cuando están siendo enviados como mensajeros de Dios a los demás. Ahora que tienen estos significados, miren estos versículos para entender que los ángeles vienen en todos los tamaños y formas. Algunos parecen humanos y otros no.*

APOCALIPSIS 4:6-9 (RVC)

" Delante del trono había algo que parecía un mar de vidrio semejante al cristal, y en el centro, alrededor del trono, había cuatro seres vivientes que tenían ojos por delante y por detrás. El primer ser viviente parecía un león, el segundo parecía un becerro, el rostro del tercero era semejante al de un hombre, y el cuarto parecía un águila en vuelo. Cada uno de los cuatro seres vivientes tenía seis alas, y estaba lleno de ojos por fuera y por dentro. Día y noche no cesaban de decir: «Santo, santo, santo es el Señor Dios Todopoderoso, el que era, el que es, y el que ha de venir.» Cada vez que aquellos seres vivientes daban gloria, honra y acción de gracias al que estaba sentado en el trono y que vive por los siglos de los siglos."

Vi estas creaciones de Dios trabajando en el Cielo. Hay muchas actividades aquí en la Tierra en las que los ángeles trabajan a las órdenes de Dios. Son parte de un ejército masivo que lucha por las almas de los humanos. Cada uno de ellos tiene un propósito y es muy feliz al completar su propósito. También tienen una gran alegría y sonríen mucho.

Los ángeles parecidos a los caballos

Los primeros ángeles que realmente noté fueron lo que llamaríamos caballos. Había tantos caballos. Fue sorprendente para mí.* Y sin embargo, cuando lees la Biblia ves en Apocalipsis donde Jesús regresa en un caballo blanco.* También hay un bermejo, un negro y un caballo bayo mencionado.* Ahora no todos los caballos se parecen a lo que creemos que los caballos deben parecer. Algunos tienen la cabeza de un caballo y el cuerpo de un humano. Algunos tienen una cabeza de un humano y el cuerpo de un caballo erguido caminando. Cada ser parecido a un caballo con un propósito. Algunos estaban en el Trono, y otros estaban con Jesús cuando Él se dirigía a los otros seres. Pero todos se movían de acuerdo con la voluntad de Dios por elección. Todos los ángeles todavía tienen la opción de servir a Dios.

Algunos de estos caballos tenían alas. Algunos tenían alas como la de una aleta de tiburón, y otros tenían dos o más alas como la de pájaros, murciélagos y helicópteros. Sí, era diferente de lo que pensé que sería. Estos caballos se movían por todo el lugar y se movían muy rápido.

Muchos de los seres que vi en el Cielo, la gente llamaba animales, pero no son como los animales que tenemos aquí en la Tierra. En el Cielo son simplemente seres hechos por Dios.

Los ángeles de tamaño pequeño

Hay ángeles muy pequeños que me recordaron a las hadas. No son hadas, sino ángeles o seres celestiales. Una persona me preguntó si los angelitos tienen tanto poder como los ángeles más grandes, y la respuesta es sí. Los ángeles más pequeños tienen tanto poder como los ángeles más grandes porque están trabajando bajo la autoridad de Dios. Es Dios quien les da poder.* Pensamos en el poder como grande. Tiene todo que ver con el amor de Dios. Todo el Reino de Dios se mueve en el poder del amor de Dios y este es el poder REAL.

Cuando comprendamos quién tiene realmente el poder y cuál es ese poder, superaremos una serie de cosas que se meten en el camino del amor de Dios que se nos expresa.

El ángel parecido a un toro

Ahora otro ángel que vi se parecía a un toro. El ser parecido a un toro era grande, de unos dos metros de altura. Era brillante como todos los demás seres allí. Este ser parecido a un toro tenía el cuerpo de un humano con manos, pero los pies eran como los de un toro. Al principio me pareció malo. Vi un anillo saliendo de su nariz y el anillo estaba vivo. Pero, cuando le miré a los ojos, vi amor, amor puro. Amaba toda la creación de Dios que es correcta. Su propósito era luchar por la rectitud. En cualquier batalla por la rectitud, este ser está ahí, luchando en la dimensión espiritual. Había más de una de estas creaciones taurinos.

Los ángeles están cumpliendo el propósito de Dios

Dios tiene muchos ángeles que hacen lo mismo por la esperanza, la salvación, la fe y la sanación que la creación taurina hace por la justicia. Verás, nuestra batalla es primero en los Cielos, y luego se transfiere aquí abajo en la Tierra.

EFESIOS 6:12 (RVC)

" La batalla que libramos no es contra gente de carne y hueso, sino contra principados y potestades, contra los que gobiernan las tinieblas de este mundo, ¡contra huestes espirituales de maldad en las regiones celestes!"

Toda la creación de Dios es hermosa en su propósito. El propósito combinado con el amor de Dios hace hermosas todas las creaciones de Dios. Entonces, ¿cómo son los ángeles? Bueno, podrían y se parecen a cada creación que está aquí en la Tierra y más. Cualquier cosa aquí en la Tierra que esté viva podría ser vista como un ángel en el Cielo. Todos están haciendo lo que Dios creó con amor. Son mensajeros de Dios de su amor para con nosotros.

Sé que esto es difícil de escuchar para nosotros porque muchos de nosotros vemos a los ángeles como dioses aquí en la Tierra, en lugar de como una extensión del amor de Dios a los demás. Los ángeles de Dios lo saben y actúan de esta manera.

Hacen todo lo que hacen dentro del amor de Dios. En la voluntad de Dios está la belleza, así que todo lo que necesitas saber es eso.

¿Tenemos ángeles guardianes?

Una de las preguntas más hechas que recibo es: "¿Tenemos Ángeles Guardianes?" La respuesta es sí.* Hacen lo que Dios les ha ordenado hacer por nosotros. Siguen su voluntad. Tenemos más de uno.* ¿Cuántos tiene cada persona que conoce a Jesús como Señor y Salvador? El número de ángeles que tenemos se basa en si estamos cumpliendo o no nuestro propósito en la Tierra. Todos están haciendo lo que fueron creados para hacer y lo hacen con amor para Dios.* No hay ángeles débiles, como dije antes. Su poder y fuerza tiene que ver con el propósito de Dios para ellos.

Esta guerra espiritual que está sucediendo es más grande de lo que la mayoría de nosotros queremos creer. Cuando confías en nuestro Padre para lograr un gran avance en tu vida o en la vida de otra persona, sucede mucho en la dimensión espiritual de la que ni siquiera eres consciente. Para todos los que han llegado a conocer a Jesús como Señor y Salvador, hubo una gran batalla que tuvo lugar en la dimensión espiritual de su alma. Desde la caída de Lucifer, muchos ángeles han tomado su lugar en la batalla. Una vez más, son mensajeros del amor para nosotros de Dios.

¿Qué aspecto tienen los ángeles?

Tal vez uno de cada cuatro ángeles que vi en el Cielo parecía humano.* Hay ángeles que parecen hombres y mujeres humanos, pero su género no afecta su propósito. Los ángeles no tienen género; sólo se parecen a los hombres o a las mujeres.* Hay ángeles que se parecen a la luz, al fuego, al agua, al aire, a las nubes, al viento, a los árboles y a las flores.* Podría seguir, pero entiende realmente esto: todos son hermosos porque están haciendo la voluntad de Dios, y en la voluntad de Dios está la belleza. Eso es lo más importante que uno debe recordar.

Así que por ahora, debes saber que hay más ángeles que se quedaron con Dios que con Satanás.* Algún día enseñaré más acerca de los ángeles cuando creo que no conducirá a más adoración de ángeles. Termino este capítulo con esto. Sólo debemos adorar a Dios el Padre, el Hijo y el Espíritu Santo, no a los ángeles. *

Capítulo 19

Ocho cosas que me dijeron sobre el fin de la era

Cuando estaba en el Cielo con Jesús y el Padre, Jesús me comunicó estas ocho cosas que señalarían el fin de la era. No me los dio en cierto orden. Algunos están ocurriendo ahora mismo, otros están empezando a ocurrir, y otros aún están por venir. El que realmente me gusta es el que habla del aumento de la oración y la apertura de los ojos espirituales. Necesitamos estar en más oración para que veamos lo que Dios ve.

¡Estas ocho cosas tendrán lugar
para señalar el fin de la era!

(No están en ningún orden)

- ¡CADA NACIÓN ESTÁ AQUÍ POR EL PROPÓSITO DE DIOS!*

- ¡REYES Y REINAS, O A LO QUE LLAMAMOS PRESIDENTES Y PRIMER MINISTROS, ESTÁN EN EL PODER POR EL PROPÓSITO DE DIOS! *

- ¡MÁS HIJOS E HIJAS DE DIOS SERÁN COLOCADOS EN EL GOBIERNO DE LAS NACIONES COTIDIANAMENTE PARA EL PROPÓSITO DE DIOS!*

- ¡LEVANTAR GENTE DE ENTRE LOS MUERTOS SERÁ COMÚN EN LOS ÚLTIMOS DÍAS DE ESTA ERA!*

- DIOS NO ESTÁ TRABAJANDO A TRAVÉS DE UNA SOLA PERSONA, SINO A TRAVÉS DE SUS HIJOS E HIJAS EN LA ERA ACTUAL. IMPIDE QUE LA GENTE SIGA A LOS HOMBRES Y QUE EN SU LUGAR, SIGAN A DIOS.*

- LA BUENA NOTICIA DE DIOS NO ESTÁ EN VENTA Y ÉL VA A OBSTRUIR LA VENTA DE LA MISMA HACIENDO QUE MAS PERSONAS DEN DE LO QUE SABEN. LIBREMENTE SE HA DADO Y LIBREMENTE DEBEN DAR! *

- LO QUE ES MALO PARECERÁ BUENO, INCLUSO PARA LOS HIJOS E HIJAS DE DIOS. LOS HIJOS E HIJAS DE DIOS CRECERÁN EN ORACIÓN EN ESE TIEMPO Y SE ABRIRÁN NUEVOS OJOS: OJOS ESPIRITUALES. ¡LO VERÁN DESDE EL CORAZÓN! *

- ¡EL ENGAÑO VISUAL AUMENTARÁ EN TODAS LAS ÁREAS DEL MUNDO!

Capítulo 20

¿Qué había en el Cielo?

¿Cómo era estar en el Cielo como un ser? Estás siendo quien Dios realmente te hizo ser. No te hace falta nada. En el Cielo eres parte de todo y todo es parte de ti. Experimentas todo allí, todo a la vez. Todos a la vez, tus dones espirituales actuales se despliegan y siguen intensificándose. Es como saltar al agua fría y tener todos los sentidos activados al mismo tiempo. Imagínese oler, probar, ver, sentir y escuchar el agua al mismo tiempo. Así es en el Cielo cuando se trata de tus dones espirituales.

Nuestros dones y habilidades espirituales

En el Cielo los dones espirituales se añaden a los que tienen aquí en la Tierra. Ninguna droga aquí en la Tierra puede compararse con lo que experimentarás allá. Allá, todo está hecho para ser parte de ti. Cuando ves algo, lo experimentas sin imperfecciones.

No siempre usamos nuestros dones espirituales aquí de una manera consistente. Tenemos la capacidad de usarlos todo el tiempo, pero en la lucha con nuestro yo carnal, la mayoría de las veces terminamos por no usar lo que tenemos. Simplemente no los usamos tan a menudo como deberíamos aquí en la Tierra. Pero allá, tenemos más dones espirituales que aquí. Hay más nuevos dones espirituales que cobran vida cuando estás en el Cielo. Simplemente no tengo nada aquí en la Tierra para compararme con estos otros dones espirituales. Hay dones espirituales en el Cielo que nunca has experimentado en la Tierra.

Cómo viajé al Cielo

Así como tenemos nuevos dones espirituales en el Cielo, tenemos nuevas habilidades para hacer cosas en el Cielo que no podemos hacer en este cuerpo. Desde que regresé, he llegado a entender más sobre mi cuerpo y lo que puede y no puede hacer. En el Cielo, mi espíritu no tiene límites; no como mi cuerpo aquí en la Tierra. Te mueves con rapidez. Cuando dejé este cuerpo, estaba a los pies de Jesús más rápido de lo que una persona puede parpadear. Cuando quería moverme de lugar, sólo pensaba en estar en otro lugar y allí estaba.

Podía pasar por cualquier cosa y todo, no es que siempre lo hicieras por respeto a los demás seres. Siempre pedía permiso. Cuando se entra en una habitación se puede atravesar lo que llamamos paredes. Pero de nuevo recuerda, todo está vivo, incluso los edificios. Los edificios tienen puertas y portones, pero no tuve que usarlos. Ahora, pediría permiso por respeto a los edificios, porque estaban vivos. Todo está vivo, así que pediría permiso. Estuve en la cima de las montañas, en el fondo de los mares o del agua, en los árboles, bajo los arbustos, en la tierra o en el suelo, caminando entre la hierba y las flores. Hice todo esto sólo pensando en ello. Volaba o a lo menos lo que nosotros aquí llamamos volar. Era como ser parte de la atmósfera más dorada y blanca. ¡Qué ambiente! ¡Si, un ambiente vivo!

¿Qué más puedo escribir? Es difícil explicar a los demás cómo se siente «todo es perfecto". No es un sentimiento, sino una experiencia. Es difícil para los demás entender con su mente cómo es dónde están el Padre y Jesús. Eso es algo que sólo entenderás cuando llegues a saber quién eres realmente, un espíritu creado de Dios. Debido a que somos espíritu, alma y cuerpo, tenemos que dejar que nuestro espíritu cobre vida en el Reino de Dios. Tenemos la capacidad de elegir a quién servimos; ya sea Dios o a nosotros mismos.

¿Cómo me veía? Estaba resplandeciente gracias al Padre y a Jesús. Ellos resplandecían en mí.

Capítulo 21

¿Quién soy ahora después del Cielo?

Después de salir del hospital sabiendo que había estado en el Cielo y de regreso, no quería hacer un mal uso de este regalo que había experimentado. Oré a Dios y le pedí que me ayudara a no sentirme con la tentación de ganar mucho dinero con esta experiencia. Incluso si tuviera grandes riquezas aquí en la Tierra, ¿qué se compararían con lo que tengo en el Cielo? Nada. Cuando tienes a Jesús, tienes todo lo que necesitas.

Así que al Padre y a mí se nos ocurrieron dos cosas a seguir para mantenerme alejado del orgullo.

Una de esas cosas es que mi esposa hable antes que yo cuando pueda estar conmigo y que le dé todo el tiempo que necesite para contar su versión de los hechos. He estado en lugares donde nos han dado una hora para hablar y ella ha tardado 45 minutos en contar su versión de la historia. Y eso solo me deja 15 minutos. La mayoría de las veces la gente me ha pedido que siga hablando o nos ha pedido que regresemos. Pero mi esposa, cuando habla, puede tomar tanto tiempo como quiera para decir lo que sabe.

Siempre he sentido que tengo un mensaje especial para todas y cada una de las personas con las que he vuelto para hablar. Los números no son algo importante para mí. Dios sabe a quién envió de regreso. Sólo tengo que ir y dar el mensaje a quien escuche. Me he presentado a miles de personas a la vez, y luego, por otro lado, a una sola persona a la vez. He tenido el honor de hablar con una familia completa, desde bisabuelos hasta bisnietos. Quienquiera que hable y el número de personas con las que hablo no me importa mientras hable con quien Dios quiera que hable. Todo lo que tengo que hacer es hacer lo que Él quiere que haga.

Sólo contesto a las preguntas que me proponen

La segunda cosa que acordamos Dios y yo para evitar el orgullo en mí es que no hablaría de nada que no me hallan preguntado. Todo lo que he escrito en este libro se basa en preguntas que la gente me ha hecho sobre la experiencia. Tendría sesiones de preguntas y respuestas para que la gente me hiciera tantas preguntas como fuera posible. He estado en sesiones de preguntas y respuestas que han durado hasta seis horas. Todavía hay muchas preguntas que no se han hecho.

Antes de ir al Cielo y volver, me mantendría alejado de cualquier cosa que tuviera que ver con que la gente me hiciera preguntas sobre la Biblia. Sabía por qué creía en lo que creía, pero no quería responder preguntas sobre cosas que no sabía o incluso cosas que sí sabía. No quería entrar en discusiones sobre nada relacionado a la Biblia.

La otra razón por la que no me gustaba responder preguntas es porque no quería que otros supieran que no sabía algo (como ministro de la iglesia). Pero ahora, estoy listo para asumir cualquier pregunta que me den. Si no lo sé, está bien. Le digo a la gente muchas veces que sólo necesito saber lo que Dios quiere que sepa. La mayoría de la gente a la que le digo eso no entiende lo que estoy diciendo. Pero cuando estaba en el Cielo, no había algo que de desperdiciara. Así que trato de no usar mi pensamiento en cosas que no son importantes.

Cuatro áreas principales de preguntas

La primera área de preguntas generalmente proviene de los niños. La pregunta que más se hace un niño es: «¿Será divertido el Cielo?». Los niños hacen algunas de las mejores preguntas. Suelen ser los que más preguntas fuera del marco de expectaciones. Gran parte de lo que le digo a la gente proviene de sus preguntas. Parecen tener esta forma de pensar que saben que van al Cielo; sólo quieren saber lo divertido que el Cielo va ha ser.

La segunda área de preguntas es de adolescentes que quieren saber más sobre su sistema de creencias. Sus preguntas están diseñadas para obtener más información que les ayude a establecer un sistema de creencias.

Quieren saber más sobre este Dios. ¿Es real? También tienen una forma de hacer preguntas poco comunes.

La tercera área de preguntas es de algunos adultos. Sus preguntas planteadas son para apoyar sus creencias. Quieren averiguar si Dios encaja en el marco que han creado para Él. A veces apoyo lo que alguien había creído antes. A veces amplío lo que alguien había creído acerca de Dios. Y a veces les doy información que simplemente destruyen las ideas que se habían construido acerca de Dios. Les digo muchas veces que Él no encajaba en el pensamiento que yo me había creado de Él. Como has leído, muchas de las ideas que yo me había formulado acerca de Dios, fueron anuladas con mi experiencia.

La cuarta y última área de preguntas es de los ancianos. Sus preguntas son similares a las que hacen los niños. Están llegando a la realidad de que están cerca de volver a casa, y sólo quieren saber cómo será.

Mi trabajo número uno

Pido a todos los que lean esto que entiendan que tengo un trabajo que hacer aquí en la Tierra, y hasta que no esté hecho no podré volver a casa. "¿Cuál es ese trabajo?" Mi trabajo es traer a tanta gente conmigo al Cielo como pueda. Esto no es diferente al trabajo asignado a cualquier otra persona que haya aceptado a Jesús como su Señor y Salvador.

Cuando estaba en el Cielo sentía gozo solamente. Sé que todos los que se anteponen a Jesús como hijo de Dios tendrán gozo puro. Cualquier persona en la que Jesús pueda verse a sí mismo, esa persona será llena de gozo también. Igualmente, sé que aquellos que vienen ante Jesús que no lo conocen como Señor y Salvador experimentarán un terror genuino. El mayor dolor que experimentará una persona que no ha aceptado a Jesús como Señor y Salvador es la separación de Jesús y del Padre para siempre.

Sé que no soy parte de este mundo como lo sentía antes. Incluso cuando supe que algún día iba a estar con Dios, todavía sentía que este era el hogar por ahora. Ahora, después de mi experiencia, no siento que este sea mi hogar en absoluto. Mi hogar está con Dios, mi Padre. Incluso llamo al tiempo que me tomo para orar, volver a casa. Para mí, orar es como volver a casa por un tiempo. A veces sólo quiero orar todo el día porque me siento como en casa mientras estoy orando. Incluso el escribir esto para que lo leas me lleva al punto de querer parar y orar. Sé que Él escucha nuestras oraciones. Sí, nosotros que conocemos a Jesús como Señor y Salvador, Él escucha nuestras oraciones de nuestro corazón, no de nuestra cabeza.

Me ha llevado algún tiempo reajustarme

Hay momentos en que me siento muy fuera de lugar aquí en la Tierra. Puedo retirarme y ser introvertido por largos períodos de tiempo. Me siento como si nunca me hubiese ido de allí. Me alegraré cuando todo este lío en la Tierra haya terminado y cada parte de la creación de Dios sea corregida. Me parece que estoy entre dos dimensiones, la real y la no real. Para la mayoría de la gente, la Tierra es la verdadera dimensión y el Cielo no lo es. Para mí, es al revés. Veo este mundo desmoronarse todos los días. Sé que hoy es mejor que mañana y ayer fue mejor que hoy. No me refiero a mi espíritu y al reino de Dios, en realidad estoy hablando del mundo físico en el que vivimos. El suelo, los árboles, las plantas, el agua y todo lo que podemos ver, oír y tocar se están desmoronando debido a la maldición que nos trajo Adán. Veo la evidencia de esta en decadencia en cada día que pasa. Esto es bueno y malo. Clamo por ver muchas más almas salvas, y al mismo tiempo, siento y veo lo corto que es el tiempo que tenemos. Entonces, ¿cuál es la dimensión real?

Creo que soy mucho más lento ahora para responder a los demás. No me gusta desperdiciar palabras. Decimos muchas cosas aquí en la Tierra que es sólo la respuesta que estamos acostumbrados a dar. Aquí hay un ejemplo: ¿Cómo estás? La mayoría de la gente dice, "Bien" o "Todo bien", o algo que respondemos de manera automática. Ahora, tengo que asegurarme de que soy las palabras que digo, porque allí, en el Cielo, no se desperdicia ninguna palabra. La comunicación es perfecta, así que no se dice mucho, pero lo que se dice es verdad.

Ahora, de nuevo, en el Cielo, en general no se comunica uno con palabras en voz alta. Podías si querías, pero la mayoría de las veces cada ser da lo que pensaba. A veces le pregunto a mi esposa o hijo algo en mi cabeza y luego, creo que lo he dicho en voz alta. Ahora me han ayudado a recordar que debo hablar en voz alta. A veces tengo que recordarme a mí mismo para hablar en voz alta también. No tengo la necesidad de orar en voz alta para que otros puedan oírme. Sé que Mi Padre me oye alto y claro si lo digo en voz alta o no. Debe venir de mi corazón. Sé que Él me oye y responderá a mi oración.

Orar por los enfermos que tienen a Jesús como su Señor y Salvador, fue difícil. Sabía que si morían irían al Cielo para estar con mi Padre, su Padre. Pero, Dios me hizo saber, que hasta que su propósito se haga en la Tierra siempre debo orar por su sanación. Dios es el único que sabe la hora exacta en que su hijo sea llevado a Él. También es difícil para mí recibir elogios por lo que hago o digo ahora. Cuando estaba con el Padre y Jesús, sólo el Padre y Jesús recibían alabanzas.

Ahora entiendo esta última idea más que nunca. La "relación" es lo único que durará. Podemos llevarnos al Cielo una relación que tenemos con otro hijo de Dios.

Cuando la gente llegue a conocer a Jesús como Señor y Salvador por medio de cómo estoy sirviendo a mi Padre, entonces tendré una relación con ellos para siempre. Y todo saldrá bien. ¡Sí!

Hiciste esto por mí.

Desde el principio de los tiempos
Del Antiguo al Nuevo Testamento
Se escribieron historias de un lugar
Donde no había preocupaciones
Hay calles de oro
Notas musicales que brotan de cascadas de cristal
Luces que brillan más que el sol
En el día de verano más caluroso
Cada color imaginable brilla
Desde los bordes cristalinos de Su corona
Su túnica era de un blanco muy puro
Cubierto sobre sus pies dorados de color bronce
Canciones de alabanza y adoración al Padre llenaron el Cielo
*   abierto*
Mientras los espíritus bailaban agradecidos por el favor, la
*   gracia y la misericordia arrodillados a los pies de nuestro*
*   hermano Jesucristo*
Una luz transportada desde las palmas de sus dos manos
*   pronunció desde mis labios estas cinco palabras:*
Hiciste esto por mí.

Por Dorothea Elisha Holmes

Capítulo 22

Últimos comentarios

Durante los últimos 33 años he trabajado con personas en el campo social, principalmente con adolescentes y sus familias. Trabajé en el Tribunal Superior del Condado de King empleado como gerente de programas alternativos de disposición de dependencia química/Tribunal de Drogas Juveniles. También he trabajado como Gerente de Programas/Proyectos para la División de Servicios de Salud Mental, Abuso Químico y Dependencia del Condado de King. Estuve empleado en las Fuerzas Aéreas de los Estados Unidos en servicio activo durante seis años y en la Reserva de las Fuerzas Aéreas durante otros 14 años, 18 de ellos como Consejero de Dependencia Química y Consejero de Relaciones Humanas e Igualdad de Oportunidades. En el pasado, he sido director de un programa de tratamiento hospitalario/vivienda de transición, coordinadora de prevención del abuso de sustancias para el condado de King y coordinadora de dependencia química para dos programas de tratamiento ambulatorio para jóvenes. He ayudado a capacitar a más de 400 padres en habilidades de crianza y he impartido más de 1000 capacitaciones y presentaciones relacionadas con temas que abordan cuestiones de servicio humano. He coordinado la prevención, el tratamiento, las conferencias familiares y he estado en televisión y radio discutiendo temas relacionados con cuestiones de servicios humanos. Ayudé a desarrollar una serie de programas modelo que han sido financiados por el gobierno de los Estados Unidos, el condado de King y las industrias privadas. He estado en muchos comités que representan al estado de Washington, al condado de King y a muchas ciudades.

Hace unos dos años dejé este trabajo para contar esta historia a tantas personas como fuese posible. Lo he hecho en los Estados Unidos y en otros países. Pero lo que está en mi corazón es llegar a los jóvenes de todo el mundo. En mi corazón hay muchos jóvenes que realmente no han tenido un encuentro con el Dios todopoderoso.

En los próximos años estoy orando para que pueda hacer realidad esta experiencia celestial a los jóvenes de este mundo. Espero hacerlo de varias maneras: Cómics, videos, videojuegos/juegos de mesa, ropa, música y muchos más libros. De alguna manera, debemos llegar a ese género que creemos que está perdido.

No quiero que Jesús regrese pronto, porque todavía hay tantos que contar acerca de Él. Yo estaba donde Él está y Él realmente quiere a todos en el Cielo. Oí los sonidos del infierno. Si los oyeses, realmente ni siquiera querrías que ninguno de tus enemigos fuera allí. Esa no es la voluntad de Dios. Así que, en estos últimos días que estoy en esta Tierra, quiero llegar a estos pequeños. Ora para que lo haga y pueda hacerlo.

The Restoring Children International apoya a muchos en Perú. Dean Braxton Ministries apoya firmemente la casa de las niñas llamada "La Familia Internacional" en Arequipa. Este hogar da refugio y cuidado, las 24 horas del día, a niñas y jóvenes de 3-20 años de edad. Estas niñas provienen de instituciones judiciales juveniles (lo que podríamos llamar cuidado de crianza) e incluso a veces son abandonadas por padres y abuelos que no pueden cuidar de ellas. Para obtener más información sobre la visión de restauración de los ministerios internacionales para niños, visite www.restoring children. org, escriba a PO Box 2128, Leavenworth, WA 98826 o Llame a Rick Daviscourt al 509.845.4929.

Una vez más, debemos llegar en estos últimos días a tantos como podamos en nuestros propios países y en todo el mundo. Debemos llegar a tantos como podamos antes de que vayan al Infierno y no al Cielo. Ambos son lugares muy reales. Tenemos que tomar una decisión.

¿Qué harás con esta información?

He hecho todo lo posible para compartir mi experiencia en este libro. Espero que esto te haya ayudado a elegir realmente a quién quieres servir en tus últimos días aquí en la Tierra. Quiero que experimentes todo lo que hice y más. Sí, hay mucho más en el Cielo del que no hablé ni me experimenté a mí mismo. Verás, lo que llamamos Cielo, se está expandiendo cada vez más. Dios sigue creando. Nada muere allí. Sí, hay mucho más esperándome allí. Quiero que vean toda la creación viviente de Dios.

Ahora mismo, haz de Jesús el Salvador de tu alma y espíritu, que es el verdadero tú. Pídele a Dios que se convierta en El Señor de tu vida. Hazlo con tus propias palabras, o di estas: "Jesús, te pido que me perdones de todo lo que he hecho mal, de esas acciones que recuerdo y de las que no recuerdo. Quiero que sean mi Salvador y Mi Señor ahora. Gracias por hacer un camino para poder vivir contigo para siempre. Pregunto esto en el nombre de mi Salvador Jesús. Amén".

Para algunos de ustedes esto puede no encajar porque lo ha dicho antes sin un significado real. Bueno, ahora, hazle un nuevo compromiso. Pídele que te perdone por no ser fiel antes y que te ayude hoy y siempre. Dilo con tus propias palabras. Dilo desde tu corazón.

Ahora bien, si han hecho ese compromiso de seguir al Señor Jesús, ustedes también sabrán lo que es decir: "¡Hiciste esto por mí, gracias, gracias, gracias!"

Me di cuenta que mi hogar está por venir
Entré en el santuario
Sin saber qué esperar
Todo lo que sabía era
Estaba cansada hasta lo profundo de mis huesos
Me senté en el banco delantero
Con la esperanza de escuchar
Escuchar algo
Sólo necesitaba algo
Un hombre subió al podio para hablar
Tenía una cara amable
Una cara honesta
Tan raro
Empezó a hablar de un lugar
Era un lugar que conocía
Pero nunca se había hecho real
Un lugar llamado Cielo
Cuando habló
Me quedé en la entrada
Pude ver el agua
Pude ver el color
Estaba describiendo mis recuerdos de la infancia
Los campos que había corrido
Los árboles que había subido
El océano en el que había jugado
La seguridad que sentí en la casa de mis padres
El amor que había sentido
Las canciones que cantaron sobre mí
Sabiendo que me estaban cuidando
La integridad
He anhelado esos días de nuevo
Sentirse tan despreocupado
Saber que siempre fuiste amado

Para nunca conocer el miedo
Pero esa no fue mi infancia
Eso era lo que estaba por venir
Casi quería llorar
¿Cómo tuve recuerdos,
¿De un lugar donde nunca había estado?
¿Por qué sentí que acaba de describir
  mi hogar de la infancia?
La congregación se pone de pie para volver a casa
Pero mi casa ya no era mi casa.
Me di cuenta
  que mi casa estaba por venir.

Por Teresa Smith

Notas del capítulo

He enumerado las referencias bíblicas por pasajes completos con la esperanza de que los estudien en su totalidad para comprender plenamente estos versículos. Descubrirán que algunas Escrituras clave relacionadas con mi testimonio se imprimirán o acortarán completamente dentro del paréntesis.

Notas del Capítulo 1

"No, no es tu momento"

Línea: *Recuerdo que él me dijo, "No, no es tu momento. Regresa"*

Lucas 12: 16-21 (versículo 20) "Pero Dios le dijo: "Necio, esta noche vienen a quitarte la vida; ¿y para quién será lo que has guardado?"

Eclesiastés. 9:12, Job 22:15-16 (versículo 16)

Línea: *En el borde del Cielo hay una oscuridad espesa, una oscuridad como la que nunca experimentarás aquí en la Tierra.*

Apocalipsis 16:10-11 (versículo 10) "El quinto ángel derramó su copa sobre el trono de la bestia, y su reino se cubrió de tinieblas. La gente se mordía la lengua de dolor."

Ex 10:21-23 (versículo 22), Mateo 8:12, Mateo 22:13, Mateo 25:30

Línea: *Esta segunda vez llegué al borde del Cielo, escuché los gritos de aquellos que estaban en el infierno.*

Apocalipsis 20:13 "... y el Hades entregaron los muertos que yacían con ellos."

Job 26:6, Lucas 8:26-31 (versículo 31)

Subtítulo: Una operación sencilla

Línea: *ES PERFECTO donde está Jesús, ¡y NO HAY TACHA ALGUNA!*

Salmos 119:142 "Tu justicia es una justicia eterna",

Lucas 12:32-34 (versículo 33), Juan 8:31-36 (versículos 32,36), 2 Corintios 5:20-21 (versículo 21), Filipenses 3:8-11 (versículo 9)

Línea: *Algunos dicen que es el Cielo es paz, pero supera a creces la paz terrenal que entendemos porque en el Cielo, no hay nada por la cuál buscar la paz.*

Filipenses 4:6-9, (versículo 7) "Y que la paz de Dios, que sobrepasa todo entendimiento, guarde sus corazones y sus pensamientos en Cristo Jesús."

(Versículo 9) "Las cosas que aprendiste, recibiste, oíste y viste en mí, éstas sí, y el Dios de la paz estará con vosotros."

Juan 14:25-28 (versículo 27), Efesios 2:14-18 (versículos 14,17)

Apocalipsis 21:22-27, (versículo 27) "Y no entrará en ella nada que sea impuro, o detestable, o falso, sino solamente los que están inscritos en el libro de la vida del Cordero."

Línea: *Cuando llegué por primera vez al Cielo y me arrodillé ante Jesús, todo lo que pude hacer, fue decir: "HICISTE ESTO por mí?!! ¡GRACIAS, GRACIAS, GRACIAS.*

Salmos 79:13 "...te alabaremos de generación en generación, y para siempre cantaremos tus alabanzas."

Salmos 34:1-3, Salmos 63:2-6 (versículos 3-5), Salmos 118:19-21 (versículos 19, 21)

Notas del Capítulo 2

Sólo soy un hombre

Línea: *Debo hacerles saber a todos que fui enviado a hacer lo mismo que se supone que debemos hacer todos los que aceptamos a Jesús en nuestras vidas como Señor y Salvador.*

Mateo 28:16-20 (versículo19) "Por tanto, vayan y hagan discípulos en todas las naciones, y bautícenlos en el nombre del Padre, y del Hijo, y del Espíritu Santo."

(versículo 20) " Enséñenles a cumplir todas las cosas que les he mandado. Y yo estaré con ustedes todos los días, hasta el fin del mundo.» Amén."

Marcos 16:14-18 (versículos 15-18), Lucas 24:46- 53 (versículos 47-48), Hechos 1:7-8 (versículo 8)

Subtítulo: ¡Lo que realmente importa es que estés ahí!

Línea: *¡Lo que importará es que tú estés ahí!*

Hebreos 11:15-16 (versículo 16) "Pero ellos anhelaban una patria mejor, es decir, la patria celestial. Por eso Dios no se avergüenza de llamarse su Dios; al contrario, les ha preparado una ciudad."

Juan 14:1-6 (versículo 6), 2 Corintios 4:14

Línea: *Todo se trata de Él, y debido a ese entendimiento, no tengo que pretender un actuar para entrar en el Cielo, y tú tampoco.*

Gálatas 1:10 "¿Busco acaso el favor de la gente, o el favor de Dios? ¿O trato acaso de agradar a la gente? ¡Si todavía buscara yo agradar a la gente, no sería siervo de Cristo!"

Juan 9:4

Línea: *Hay mucha gente en el Cielo que no pensé que estarían ahí, pero llegaron, y muchos a quienes creía que lo lograrían, pero no lo hicieron. Jesús conoce el corazón de una persona.*

Mateo 7:21-23 (versículo 21) "No todos los que me digan: 'Señor, Señor', entrarán en el reino de los Cielos, sino el que hace la voluntad de Mi Padre celestial".

(versículo 23) "Pero yo les diré claramente: "Nunca los conocí. ¡Apártense de mí, obreros de la maldad."

Mateo 22:11-13 (versículo 13), Romanos 11:19-22 (versículos 20-21)

Línea: *Todo lo que puedo decir es que cuando Él me miró, Él se vio a sí mismo, y me aceptó en el Cielo.*

Gálatas 2:17-20 (versículo 20) "Pero con Cristo estoy juntamente crucificado, y ya no vivo yo, sino que Cristo vive en mí; y lo que ahora vivo en la carne, lo vivo en la fe del Hijo de Dios, el cual me amó y se entregó a sí mismo por mí."

Efesios 3:14-19 (versículos 16-17), Corintios 1:27-29 (versículo 27)

Notas del Capítulo 3

Todo está bien "¡¡Hiciste esto por mí?!!"

Subtítulo: Gracias, Gracias, Gracias....

Línea: *Una vez más, repetiré que sé que todo es PERFECTO donde está Jesús y no hay TACHA alguna.*

Juan 8:31-36 (versículo 32) "Y conoceréis la verdad, y la verdad les hará libre".

(versículo 36) "Por tanto, si el Hijo os libera, serás libre de verdad".

Lucas 12:32-34 (versículo 33), Apocalipsis 21:6-7 (versículo 7)

Línea: *Algunos dicen que el Cielo es la paz, pero supera a creces la paz terrenal que entendemos porque no hay nada por la cual buscar la paz en el Cielo.*

Apocalipsis 21:22-27 (versículo 27) "Y no entrará en ella nada que sea impuro, o detestable, o falso, sino solamente los que están inscritos en el libro de la vida del Cordero."

Línea: *Cuando estuve por primera vez ante Jesús, todo lo que pude hacer fue decir: "¡¿Hiciste esto por mí?! GRACIAS, GRACIAS, GRACIAS, GRACIAS, GRACIAS, GRACIAS, GRACIAS, Y GRACIAS!"*

Salmos 138:1-5, (versículo 1-2) "Te alabaré de todo corazón, y ante todos los dioses te cantaré salmos. De rodillas, y en dirección a tu santo templo, alabaré tu nombre por tu misericordia y fidelidad, por la grandeza de tu nombre y porque tu palabra está por encima de todo."

(versículo 4-5) "Señor, ¡que todos los reyes de la tierra te alaben al escuchar tu palabra! ¡Que alaben tus caminos, Señor, porque grande, Señor, es tu gloria!"

Salmos 34:1-3, Salmos 63:2-5 (versículos 3-5), Salmos 79:13, Salmos118:19-21 (versículo 19)

Línea: *Cuando llegué al Cielo, lo único que quería o podía hacer era alabar a Jesús.*

Salmos 103:1-5 (versículo1-2) "¡Bendice, alma mía, al Señor! ¡Bendiga todo mi ser su santo nombre! 2¡Bendice al Señor, oh alma mía, y no olvides ninguno de sus beneficios"

Salmos 118:15-18 (versículo 17), Lucas 19:37-40 (versículos 37-38)

Línea: *Nadie tenía que decírmelo. Yo sabía qué hacer. Sabía que alabamos a Jesús y al Padre Dios, a nadie más.*

Juan 4:23-24 "Pero viene la hora, y ya llegó, cuando los verdaderos adoradores adorarán al Padre en espíritu y en verdad; porque también el Padre busca que lo adoren tales adoradores. 24 Dios es Espíritu; y es necesario que los que lo adoran, lo adoren en espíritu y en verdad.»

Mateo 21:15-16 (versículo 16), Filipenses 3:17-21 (versículos 20-21)

Línea: *Los únicos que reciben alabanza son el Padre y Jesús. Ellos SON LOS ÚNICOS.*

1 Corintios 1:27-31(versículo 29) "A fin de que nadie pueda jactarse en su presencia."

(versículo 31) "Para que se cumpla lo que está escrito: «El que se gloría, que se gloríe en el Señor.»"

Isaías 2:11-12 (versículo 11), Apocalipsis 21:22-27 (versículos 22-23)

Subtítulo: Alabarlo era todo lo que necesitaba

Línea: *Todo lo que había dentro de mí lo alababa. Todo de lo que estaba hecho se lo gritaba en alabanza a Jesús.*

Salmos 103:1-5 (versículo 1-2) "¡Bendice, alma mía, al Señor! ¡Bendiga todo mi ser su santo nombre! 2¡Bendice, alma mía, al Señor, y no olvides ninguna de sus bendiciones!"

Salmos 118:15-18 (versículo 17), Lucas 19:37-40 (versículos 37-38)

Línea: *No mi cuerpo, por supuesto, ya que se había quedado aquí en la Tierra, sino mi espíritu y mi alma, el verdadero yo, adorado, con todo mi ser.*

1 Corintios15:50-54 (versículo 50) "Pero una cosa les digo, hermanos: ni la carne ni la sangre pueden heredar el reino de Dios, y tampoco la corrupción puede heredar la incorrupción."

(versículo 53-54) "Porque es necesario que lo corruptible se vista de incorrupción, y lo mortal se vista de inmortalidad. 54 Y cuando esto, que es corruptible, se haya vestido de incorrupción, y esto, que es mortal, se haya vestido de inmortalidad, entonces se cumplirá la palabra escrita: «Devorada será la muerte por la victoria»."

2 Corintios 5:1-10 (versículos 1-2,4,6,8), Salmos 103:14-17 (versículo 14)

Línea: *No mi cuerpo, por supuesto, ya que se había quedado aquí en la Tierra, sino mi espíritu y mi alma, el verdadero yo, adorado, con todo mi ser.*

Juan 4:21-24 (versículo 23-24) "Pero viene la hora, y ya llegó, cuando los verdaderos adoradores adorarán al Padre en espíritu y en verdad; porque también el Padre busca que lo adoren tales adoradores. 24Dios es Espíritu, y aquellos que lo adoran deben adorar en espíritu y verdad".

Salmos 119:171-175 (versículo 175), Salmos 94:16-19 (versículo 17)

Línea: *Durante esta alabanza, parecía que me estaba convirtiendo en el AMOR de Dios.*

1 Juan 4:16-17 (versículo 17) "Y nosotros hemos conocido y creído el amor que Dios tiene para con nosotros. Dios es amor; y el que permanece en amor, permanece en Dios, y Dios en él. 17 En esto se perfecciona el amor en nosotros: para que tengamos confianza en el día del juicio, pues como él es, así somos nosotros en este mundo.

Corintios 13:4-8, Efesios 5:1-2 (versículo 2)

Línea: *Sentí sólo ALEGRÍA. Me pareció que el alabarle era lo único que necesitaba para sustentar mi vida.*

Lucas 10:17-20 (versículo 17) "Cuando los setenta y dos volvieron, estaban muy contentos y decían: «Señor, en tu nombre, ¡hasta los demonios se nos sujetan!»".

(versículo 20) "Pero no se alegren de que los espíritus se les sujetan, sino de que los nombres de ustedes ya están escritos en los cielos."

Salmos 4:6-8 (versículo 7), Eclesiastés 2:24-26 (versículo 26), Isaías 12:2-3 (versículo 3), Romanos 15:13

Línea: *No necesitaba comida. Alabarle parecía ser todo lo que necesitaba. Él había satisfecho todas mis necesidades.*

Juan 4:31-34 (versículo 34) "Jesús les dijo: «Mi comida es hacer la voluntad del que me envió, y llevar a cabo su obra."

Lamentaciones 3:20-26 (versículos 22-23)

Línea: *No por lo que hice, sino por lo que Él hizo por mí cuando lo acepté como mi Señor y Salvador.*

2 Timoteo 1:8-10 (versículo 9) "Quien nos salvó y nos llamó con llamamiento santo, no conforme a nuestras obras, sino según el propósito suyo y la gracia que nos fue dada en Cristo Jesús antes de los tiempos de los siglos"

Romanos 15:17-19 (versículo 18), Tito 3:3-9 (versículos 5,7-8)

Subtítulo: Vi a Jesús en la cruz

Línea: *Sabía que lo que Él hizo en la cruz fue por mí.*

Romanos 10:9-13 (versículo 13) "Porque todo el que invoque el nombre del Señor será salvo."

Efesios 1:3-14 (versículo 6), Tito 2:11-12 (versículo 11)

Línea: *Sabía que lo sabía.*

1 Corintios 13:12-13 (versículo 12) "Ahora vemos con opacidad, como a través de un espejo, pero en aquel día veremos cara a cara; ahora conozco en parte, pero en aquel día conoceré tal y como soy conocido."

Hebreos 12:22-24

Línea: *La única razón por la que estaba en el Cielo con Él era por lo que había hecho por mí, y lo sabía.*

Juan 3:13-18 "Nadie subió al cielo, sino el que descendió del cielo, que es el Hijo del Hombre. 14 Y así como Moisés levantó la serpiente en el desierto, así también es necesario que el Hijo del Hombre sea levantado, 15 para que todo aquel que en él cree no se pierda, sino que tenga vida eterna.16 »Porque de tal manera amó Dios al mundo, que ha dado a su Hijo unigénito, para que todo aquel que en él cree no se pierda, sino que tenga vida eterna. 17 Porque Dios no envió a su Hijo al mundo para condenar al mundo, sino para que el mundo sea salvo por él. 18 El que en él cree, no es condenado; pero el que no cree, ya ha sido condenado, porque no ha creído en el nombre del unigénito Hijo de Dios."

Isaías 53:4-5, Juan 1:29-31 (versículo 29)

Línea: *Sabía que estaba completo o perfecto debido a lo que Él había hecho.*

2 Corintios 5:16-21 (versículo 17) "De modo que si alguno está en Cristo, ya es una nueva creación; atrás ha quedado lo viejo: ¡ahora ya todo es nuevo!"

> (versículo 19) "Así que somos embajadores en nombre de Cristo, y como si Dios les rogara a ustedes por medio de nosotros, en nombre de Cristo les rogamos: «Reconcíliense con Dios»."

> (versículo 21) "Al que no cometió ningún pecado, por nosotros Dios lo hizo pecado, para que en él nosotros fuéramos hechos justicia de Dios."

Romanos 6:1-4 (versículo 4), Colosenses 4:12

Línea: *Eran todas sus obras, incluso las buenas obras que había hecho era su trabajo a través de mí.*

> 1 Juan 5:9-12, (versículo 11-12) "Y éste es el testimonio: que Dios nos ha dado vida eterna, y esta vida está en su Hijo. 12 El que tiene al Hijo, tiene la vida, el que no tiene al Hijo de Dios no tiene la vida."

Lucas 12:8-9 (versículo 8), 1 Juan 4:13-16 (versículos 13,16)

Línea: *Eran todas sus obras. Incluso las buenas obras que había hecho era Él trabajando a través de mí.*

> Colosenses 3:14-24 (versículo 17) "Y todo lo que hagan, ya sea de palabra o de hecho, háganlo en el nombre del Señor Jesús, dando gracias a Dios el Padre por medio de él."

> (versículo 23-24) "Y todo lo que hagan, háganlo de corazón, como para el Señor y no como para la gente, 24 porque ya saben que el Señor les dará la herencia como recompensa, pues ustedes sirven a Cristo el Señor.".

Salmos. 44:1-3 (versículo 3), Filipenses 2:13-14 (versículo 13)

Línea: *Sabía que era para los demás también, pero, en ese momento, parecía como si se hubiera hecho sólo para mí.*

Juan 14:1-4 (versículo 2) "En la casa de mi Padre hay muchos aposentos. Si así no fuera, ya les hubiera dicho. Así que voy a preparar lugar para ustedes."

Subtítulo: Mi casa, mi espacio

Línea: *Sabía que era para los demás también, pero en ese momento, parecía como si se hubiera hecho sólo para mí.*

Marcos 10:37-40 (versículo 40) "Pero no me corresponde concederles que se sienten a mi derecha o a mi izquierda, pues ya es de aquellos para quienes está preparado.»"

Juan 14:1-2 (versículo 2)

Subtítulo: No tenía memoria del pecado

Línea: *Sabía que estaba en mi lugar y que nadie podía ocupar mi lugar.*

Efesios 1:3-6 (versículo 4) "En él, Dios nos escogió antes de la fundación del mundo, para que en su presencia seamos santos e intachables. Por amor",

2 Corintios 5:17-19 (versículo 19), Hebreos 10:11-18 (versículo 14)

Línea: *Otra razón por la que dije "Hiciste esto por mí", es porque sentí que nunca había pecado en toda mi vida.*

Romanos 6:4-11 (versículo 4) "Porque por el bautismo fuimos sepultados con él en su muerte, para que así como Cristo resucitó de los muertos por la gloria del Padre, así también nosotros vivamos una vida nueva."

(versículo 8-9) "Así que, si morimos con Cristo, creemos que también viviremos con él. 9 Sabemos que Cristo resucitó y que no volverá a morir, pues la muerte ya no tiene poder sobre él."

1 Corintios 6:9-11 (versículo 11), 2 Corintios 5:17-19 (versículo 18)

Línea: *Sabía que me habían liberado de la verdadera muerte (pecado), y no podía alejarme de Jesús y del Padre.*

Romanos 8: 35-39 (versículo 35) ¿Qué podrá separarnos del amor de Cristo? ¿Tribulación, angustia, persecución, hambre, desnudez, peligro, espada?"

(versículo 38-39) "Por lo cual estoy seguro de que ni la muerte, ni la vida, ni los ángeles, ni los principados, ni las potestades, ni lo presente, ni lo por venir, 39 ni lo alto, ni lo profundo, ni ninguna otra cosa creada nos podrá separar del amor que Dios nos ha mostrado en Cristo Jesús nuestro Señor."

Apocalipsis 20:12-15 (versículos 14-15) Apocalipsis 21:6-8

Línea: *No tenía ningún recuerdo de pecado en absoluto, y sabía que Jesús no podía haberme recordado, porque fui perdonado y Él no recordaba ninguno de mis pecados.*

Apocalipsis 1:17-18 "Yo soy el primero y el último, 18 y el que vive. Estuve muerto, pero ahora vivo para siempre. Amén. Yo tengo las llaves de la muerte y del infierno".

Romanos 5:8-9 (versículo 9), Romanos 5:18-21 (versículos 18-19)

Línea: *No tenía ningún recuerdo de pecado en absoluto.*

2 Corintios 5:17-19 (versículo 19) "Esto quiere decir que, en Cristo, Dios estaba reconciliando al mundo consigo mismo, sin tomarles en cuenta sus pecados, y que a nosotros nos encargó el mensaje de la reconciliación."

Jeremías 31:32-34 (versículo 34), Efesios 1:3-6

Línea: *Y sabía que Jesús no podía haberme recordado, porque fui perdonado y Él no recordaba ninguno de mis pecados.*

1 Juan 1:5-10 (versículo 9) "Si confesamos nuestros pecados, él es fiel y justo para perdonar nuestros pecados y limpiarnos de toda maldad."

Isaías 43:25-26 (versículo 25) Miqueas 7:18-19

Línea: *Una vez más supe que sabía que lo sabía!*

Hebreos 12:22-24 (versículo 22) "Ustedes, por el contrario, se han acercado al monte de Sión, a la celestial Jerusalén, ciudad del Dios vivo, y a una incontable muchedumbre de ángeles, 23 a la congregación de los primogénitos que están inscritos en los cielos, a Dios, el Juez de todos, a los espíritus de los justos que han sido hechos perfectos, 24 a Jesús, el Mediador del nuevo pacto, y a la sangre rociada que habla mejor que la de Abel..

1 Corintios 13:12-13 (versículo 12)

Línea: *Sabía que nunca podría separarme de mi Padre y Jesús.*

Romanos 5:18-21 (versículo 18-19) "Así que, como por la transgresión de uno solo vino la condenación a todos los hombres, de la misma manera por la justicia de uno solo vino la justificación de vida a todos los hombres. 19 Porque así como por la desobediencia de un solo hombre muchos fueron constituidos pecadores, así también por la obediencia de uno solo muchos serán constituidos justos."

Romanos 5:8-9 (versículo 9)

Línea: *Llegué a entender que la verdadera muerte está siendo separada de Dios.*

Apocalipsis 20:12-15 (versículo 14-15) "Luego la muerte y el Hades fueron lanzados al lago de fuego. Ésta es la muerte segunda. 15 Todos los que no tenían su nombre registrado en el libro de la vida fueron lanzados al lago de fuego."

Romanos 8:35-39 (versículos 35,38-39), Efesios 1:15-23 (versículos 22-23)

Línea: *También me di cuenta que nadie podía hacerme daño en este lugar.*

Apocalipsis 21:22-27 (versículo 24-26) "Las naciones caminarán a la luz de ella, y los reyes de la tierra traerán a ella sus riquezas y su honra. 25 Sus puertas jamás serán cerradas de día, y en ella no habrá noche. 26 A ella serán llevadas las riquezas y la honra de las naciones."

Salmos 118:6-7 (versículo 6)

Notas del Capítulo 5

He visto a Jesús subtitulado: Jesús es brillante

Línea: *Todo lo que puedo decir es que Jesús es resplandeciente.*

Apocalipsis 1:12-16 (versículo 16) "En su mano derecha llevaba siete estrellas, y de su boca salía una aguda espada de doble filo; su rostro era radiante, como el sol en todo su esplendor."

Mateo17:1-3 (versículos 2-3), Hechos 9:1-5 (versículo 3)

Línea: *Era más brillante que nuestro sol en una tarde calurosa y, sin embargo, podía verle.*

Apocalipsis 21:22-24 (versículo 23) "La ciudad no tiene necesidad de que el sol y la luna brillen en ella, porque la ilumina la gloria de Dios y el Cordero es su lumbrera."

Hechos 26:12-15 (versículo 13), Apocalipsis 1:12- 16 (versículo 16), Apocalipsis 22:35 (versículo 5)

Línea: *Me parecía que si un ser no estaba a la altura de Él, ese ser podía ser quemado por su resplandor y experimentaría terror.*

Juan 12:34-36 (versículo 35-36) "Jesús les dijo: «Por un poco más de tiempo la luz está entre ustedes; mientras tengan luz, caminen, para que no los sorprendan las tinieblas; porque el que anda en tinieblas no sabe por dónde va. 36 Mientras tengan la luz, crean en la luz, para que sean hijos de la luz.»"

Hebreos 1:1-4 (versículo 3), 1 Juan 1:6-7 (versículo 7)

Línea: *Aquellos que estaban justificados en Él podían verle cara a cara y experimentarían una alegría perfecta.*

1 Juan 2:28-29 "Y ahora, hijitos, permanezcan en él para que, cuando se manifieste, tengamos confianza, y cuando venga no nos alejemos de él avergonzados. 29 Si saben que él es justo, sepan también que todo el que hace justicia ha nacido de él."

1 Juan 3:6-7

Línea: *Aquellos que estaban justificados en Él podían verle cara a cara y experimentarían una alegría perfecta.*

Eclesiastés 2:24-25 (versículo 25) "Porque al hombre que le agrada, *Dios* le da sabiduría, ciencia y gozo; mas al pecador da el trabajo de recoger y amontonar, para darlo *al que* agrada a Dios. También esto es vanidad y aflicción de espíritu."

Romanos 15:13, Judas 1:24-25 (versículo 24)

Línea: *Me parecía que si un ser no estaba no estaba con bien con Él, podría ser incinerado por su resplandor y experimentar un terror verdadero.*

Salmos 94:20-23 (versículo 23) "Él les ha traído su propia iniquidad, y los cortará en su propia iniquidad; El Señor nuestro Dios los cortará".

Proverbios 11:5-9, Proverbios 11:20-23 (versículos 20-21,23)

Línea: *Tenías que mirarlo con un corazón puro.*

Mateo 5:6-9 (versículo 8) "Bienaventurados los puros de corazón, porque verán a Dios."

1 Juan 5:9-13 (versículos 10,12)

Subtítulo: Sus pies

Línea: *Son como dijo Juan de la Biblia en Apocalipsis 1:15.*

Apocalipsis 1:12-16 (versículo 15) "Sus pies eran semejantes al bronce pulido, y brillaban como en un horno; su voz resonaba como el estruendo de un poderoso caudal de agua."

Apocalipsis 2:18-19 (versículo 18)

Línea: *Él aún tiene las heridas de donde le clavaron sus pies.*

Lucas 24:38-43 (versículo 39-40) "¡Miren mis manos y mis pies! ¡Soy yo! Tóquenme y véanme: un espíritu no tiene carne ni huesos, como pueden ver que los tengo yo.» 40 Y al decir esto, les mostró las manos y los pies."

Línea: *No era sólo que me amara, sino que era como si fuera el único al que amaba en toda su creación.*

Isaías 49:14-16 (versículo 15) "¿Pero acaso se olvida la mujer del hijo que dio a luz? ¿Acaso deja de compadecerse del hijo de su vientre? Tal vez ella lo olvide, pero yo nunca me olvidaré de ti.

Subtítulo: Sus manos

Línea: *Sí, se pueden ver las heridas de los clavos hechas en sus manos.*

Lucas 24:38-43 (versículo 39-40) "¡Miren mis manos y mis pies! ¡Soy yo! Tóquenme y véanme: un espíritu no tiene carne ni huesos, como pueden ver que los tengo yo.» 40 Y al decir esto, les mostró las manos y los pies."

Juan 20:24-27 (versículos 26-27)

Subtítulo: Su cuerpo

Línea: *Como dice la Biblia en 1 Juan 4:7, Dios es amor.*

1 Juan 4:12-16 (versículo 16) "Y nosotros hemos conocido y creído el amor que Dios tiene para con nosotros. Dios es amor; y el que permanece en amor, permanece en Dios, y Dios en él."

Lamentaciones 3:20-24 (versículos 22-23) Romanos 8:35-39 (versículos 35, 39)

Línea: *Vi lo que me costó estar allí y tener una relación con Dios Todo-poderoso. No me había dado cuenta antes de que esto ocurriera, de lo grande que fue el costo en dolor del cuerpo físico de Jesús, que nos permitió a mí y a ti tener una relación con Dios.*

Isaías 52:13-15 (versículo 14) "Muchos se asombrarán al verlo. Su semblante fue de tal manera desfigurado, que no parecía un ser humano; su hermosura no era la del resto de los hombres."

Leer Isaías 52:14-15 de la BIBLIA NETA en bible.org , Isaías 52:14-15, Isaías 53:1-2 (versículo 2), Isaías 53:3-6 (versículo 5), Mateo 27:24-50 (26-30), Mateo 27:24-31, Marcos 14:41-50 (versos 41,44-45,50), Marcos 15:11-15 (verso 15), Marcos 15:16-20, Lucas 23:22-25 (versículos 23,25), Lea Mateo 27:24-31 notas de la BIBLIA NETA en bible.org, Lea Marcos 15:16-20 notas de la BIBLIA NETA en bible.org

Línea: *En el Cielo dejas de verle con tus ojos terrenales y comienzas a verle desde tu corazón. Llegas a verle como Él es.*

1 Juan 3:1-2 (versículo 2) "Amados, ahora somos hijos de Dios, y aún no se ha manifestado lo que hemos de ser. Pero sabemos que, cuando él se manifieste, seremos semejantes a él porque lo veremos tal como él es."

Efesios 5:1-2 (versículo 2)

Línea: *Llegué a entender que Él aboga por nosotros ante el Padre Dios con todo su ser.*

Romanos 8:34 "¿Quién es el que condenará? Cristo es el que murió; más aun, el que también resucitó, el que además está a la derecha de Dios e intercede por nosotros."

1 Timoteo 2:3-6 (versículo 5) "Porque hay un solo Dios, y un solo mediador entre Dios y los hombres, que es Jesucristo hombre."

Romanos 8:31-35 (versículo 34), Hebreos 4:14-16 (versículo 15)

Subtítulo: Su rostro

Línea: *Su rostro era como si fuera vidrio de cristal líquido compuesto de amor puro, luz y vida. No digo que su cara fuera esa, sino sólo que eso es lo que me pareció a mí. Su rostro parecía cambiar al mirarlo. La forma de su rostro parecía cambiar varias veces al mirarlo. Jesús tenía un rostro como el de la mayoría de los humanos, pero en cambio parecía cambiar en diferentes rostros de apariencia humana.*

Lucas 9:29-33 (versículo 29) "Y mientras oraba, cambió la apariencia de su rostro, y su vestido se hizo blanco y resplandeciente."

Marcos 16:12-13 (versículo 12), Lucas 24:28-34 (versículos 30-32)

Línea: *Su rostro tenía los colores del arco iris y los colores que no puedo describir dentro de él.*

Ezequiel 1:27-28 (versículo 28) "Ese resplandor que lo rodeaba se parecía al arco iris, cuando aparece en las nubes después de un día lluvioso."

Línea: *Salieron de Él y se desprendieron de Él como las olas del océano fluyen de un lado a otro en la orilla. Estaba viendo los colores, y sin embargo, yo era parte de los colores.*

Apocalipsis 4:2-3 (versículo 3) "El que estaba sentado en el trono tenía el aspecto de una piedra de jaspe y de cornalina. Alrededor del trono había un arco iris, semejante a la esmeralda."

Línea: *Estaba viendo a Jesús, y yo era parte de Jesús. Yo estaba en Jesús, y Jesús resplandecía de mí.*

Juan 14:19-24 (versículo 20) "En aquel día ustedes sabrán que yo estoy en mi Padre, y que ustedes están en mí, y que yo estoy en ustedes.".

Hechos 9:3-4 (versículo 3), Apocalipsis 1:9-20 (versículo 16)

Línea: *El brillo estaba a mi alrededor. Yo era parte del resplandor, y el resplandor brillaba de mí.*

Apocalipsis 21:22-23 (versículo 23) "La ciudad no tiene necesidad de que el sol y la luna brillen en ella, porque la ilumina la gloria de Dios y el Cordero es su lumbrera."

Apocalipsis 22:1-5 (versículo 5) "Allí no volverá a haber noche; no hará falta la luz de ninguna lámpara ni la luz del sol, porque Dios el Señor los iluminará. Y reinarán por los siglos de los siglos."

Efesios 5:13-14 (versículo 14)

Subtítulo: Su cabeza

Línea: En la cabeza de Jesús había una corona que parecía el sol en toda su gloria.

Apocalipsis 19:11-13 (versículo12) "Sus ojos parecían dos llamas de fuego, y en su cabeza había muchas diademas, y tenía inscrito un nombre que sólo él conocía."

Apocalipsis 6:1-2 (versículo 2), Apocalipsis 14:14-16 (versículo 14)

Línea: *En la cabeza de Jesús había una corona que parecía el sol en toda su gloria.*

Isaías 30:25-26 (versículo 26) "El día que el Señor ponga una venda en la herida de su pueblo, y cure la llaga que le causó, la luz de la luna alumbrará como la luz del sol, y la luz del sol alumbrará siete veces más, como la luz de siete días."

Isaías 30:25-26, Leer notas de Isa 30:25-26 de la Biblia de la RED en bible.org,

Malaquías 4:2-3 (versículo 2) "»Pero para ustedes, los que temen mi nombre, brillará un sol de justicia que les traerá salvación. Entonces ustedes saltarán de alegría, como los becerros cuando se apartan de la manada"

Leer Malaquías 4:2-3 notas de la BIBLIA de la RED en la Biblia. Org

Línea: *Los rayos se entrelazan con su cabello. Su cabello era como dijo Juan en Apocalipsis.*

> Apocalipsis 1:9-20 (versículo 14) "Su cabeza y sus cabellos eran blancos como lana. Parecían de nieve. Sus ojos chispeaban como una llama de fuego."

> Daniel 7:9-10 (versículo 9)

> Subtítulo: Él es amor

Línea: *Todo en Él es amor.*

> 1 Juan 4:16-17) "Y nosotros hemos conocido y creído el amor que Dios tiene para con nosotros. Dios es amor; y el que permanece en amor, permanece en Dios, y Dios en él. 17 En esto se perfecciona el amor en nosotros: para que tengamos confianza en el día del juicio, pues como él es, así somos nosotros en este mundo."

> 1 Juan 4:7-12 (versículo 8)

Línea: *Sabes en tu interior que Él ama a todos, pero Su amor por ti es tan personal que parece que es sólo para ti.*

> Isaías 49:14-16 (versículo 15) "¿Pero acaso se olvida la mujer del hijo que dio a luz? ¿Acaso deja de compadecerse del hijo de su vientre? Tal vez ella lo olvide, pero yo nunca me olvidaré de ti."

Línea: *Sabes que Él ha cuidado de ti desde el principio y que seguirá cuidando de ti para siempre.*

> Daniel 7:21-27 (versículo 22) "Hasta que vino el Anciano entrado en años y dictó sentencia en favor de los santos del Altísimo; y llegado el momento, los santos recibieron el reino."

> (versículo 27) "Entonces se dará al pueblo de los santos del Altísimo el reino y el dominio y la majestad de los reinos bajo el cielo. Y su reino será un reino eterno, y todos los poderes le servirán y lo obedecerán."

Apocalipsis 21:2-4 (versículo 3) "Entonces oí que desde el trono salía una potente voz, la cual decía: «Aquí está el tabernáculo de Dios con los hombres. Él vivirá con ellos, y ellos serán su pueblo, y Dios mismo estará con ellos y será su Dios."

Mateo 11:11-12 (versículo 11)

Notas del Capítulo 7

¿Qué vi en el Cielo?

Línea: *Cuando morí, supe a dónde ir. No había nadie que me dijera a dónde ir.*

> Juan 14:1-4 (versículo 4) "Y ustedes saben a dónde voy, y saben el camino.»"

Línea: *Todo tiene vida y no hay nada muerto allí.*

> Lucas 12:32-34 (versículo 33) "Vendan lo que ahora tienen, y denlo como limosna. Consíganse bolsas que no se hagan viejas, y háganse en los cielos un tesoro que no se agote. Allí no entran los ladrones, ni carcome la polilla."

> Tito 1:1-3 (versículo 2), Santiago 1:12-13

Línea: *Comprendí entonces que la verdadera muerte era no tener al Padre Dios o a Jesús o al Espíritu Santo en tu vida.*

> Apocalipsis 21:6-8 (versículo 8) "Pero los cobardes, los incrédulos, los abominables, los homicidas, los que incurren en inmoralidad sexual, los hechiceros, los idólatras y todos los mentirosos tendrán su parte en el lago que arde con fuego y azufre, que es la muerte segunda."

> Apocalipsis 20:12-15 (versículo 14)

Subtítulo: ¿De vuelta de entre los muertos?— Por el contrario

Línea: *No... Estaba vivo con el Padre y el Hijo.*

> Salmos 36:7-9 (versículo 9) "En ti se halla el manantial de la vida, y por tu luz podemos ver la luz."

Mateo 22:29-32 (versículo 32) "Yo soy el Dios de Abrahán, el Dios de Isaac y el Dios de Jacob." Así que Dios no es un Dios de muertos, sino de los que viven.»

Hebreos 4:11-13 (versículo 12) "La palabra de Dios es viva y eficaz, y más cortante que las espadas de dos filos, pues penetra hasta partir el alma y el espíritu, las coyunturas y los tuétanos, y discierne los pensamientos y las intenciones del corazón."

Línea: *Él es: vida, luz y amor.*

AMOR

1 Juan 4:7-11 (versículo 7-8) "Amados, amémonos unos a otros, porque el amor es de Dios. Todo aquel que ama, ha nacido de Dios y conoce a Dios. 8 El que no ama, no ha conocido a Dios, porque Dios es amor."

1 Corintios 13:8-13 (versículos 8,13), 1 Juan 4:15-16 (versículo 16)

VIDA

Génesis 2:7 "Entonces, del polvo de la tierra Dios el Señor formó al hombre, e infundió en su nariz aliento de vida. Así el hombre se convirtió en un ser con vida."

Juan 5:24-27

LUZ

Salmos 36:7-9 (versículo 9) "En ti se halla el manantial de la vida, y por tu luz podemos ver la luz."

Salmos 104:1-2 (versículo2) " ¡Te has revestido de luz, como de una vestidura! ¡Extiendes los cielos como una cortina!"

Salmos 119:129-132 (versículo130) "La enseñanza de tus palabras ilumina; y hasta la gente sencilla las entienden."

2 Corintios 4:5-6 (versículo 6)

Línea: *Como dije antes, todo en el Cielo está vivo. Los resplandecientes edificios que parecían luz, pero no eran luz, el paisaje y la atmósfera estaban vivos.*

Apocalipsis 16:4-7 (versículo 7) " Oí también que otro decía desde el altar: «Ciertamente, Señor y Dios Todopoderoso, tus juicios son justos y verdaderos.»"

Leer Apocalipsis 16:7 de la Biblia de la RED en bible.org

Apocalipsis 19:4-6 (versículo 5) "Del trono salió entonces una voz, que decía: «¡Alaben a nuestro Dios todos sus siervos, los que le temen, los grandes y los pequeños!»"

Línea: *Como dije antes, todo en el Cielo está vivo. Los resplandecientes edificios que parecían luz, pero no eran luz, el paisaje y la atmósfera estaban vivos.*

Apocalipsis 21:10-23 (versículo10-11) "Y en el Espíritu me llevó a un monte de gran altura, y me mostró la gran ciudad santa de Jerusalén, la cual descendía del cielo, de Dios. 11 Tenía la gloria de Dios y brillaba como una piedra preciosa, semejante a una piedra de jaspe, transparente como el cristal."

(versículo 21) "Las doce puertas eran doce perlas, es decir, que cada una de las puertas era una perla, y la calle de la ciudad era de oro puro y transparente como el vidrio."

(versículo 23) "La ciudad no tiene necesidad de que el sol y la luna brillen en ella, porque la ilumina la gloria de Dios y el Cordero es su lumbrera.".

Isaías 44:21-23 (versículo 23), Isaías 55:11-12 (versículo 12)

Línea: *Como dije antes, todo en el Cielo está vivo. Los resplandecientes edificios que parecían luz, pero no eran luz, el paisaje y la atmósfera estaban vivos.*

> Job 38:33-36 (versículo 35) «¿Puedes enviar relámpagos para que vayan y te digan: «Aquí estamos»?»

> Apocalipsis 10:3-4 (versículo 3) "En ese momento lanzó un grito tan fuerte como el rugido de un león, y se oyó la estruendosa voz de siete truenos."

Subtítulo: El Cielo es enorme

Línea: *Por venir de la Tierra y convivir con la muerte, un pensamiento pasó por mi cabeza: "¿No nos quedaremos sin espacio en el Cielo?". Después de todo, no hay muerte y todo sigue con vida.*

> I Timoteo 6:11-14 (versículo 13) "Aun cuando antes yo había sido blasfemo, perseguidor e injuriador; pero fui tratado con misericordia porque lo hice por ignorancia, en incredulidad."

> Ezequiel 18:30-32 (versículo 32) "Porque yo no quiero que ninguno de ustedes muera. Así que vuélvanse a mí, y vivirán."

> Génesis 1:11-13 (versículo 11), Génesis 1:20-24 (versículos 20, 24), Génesis 2:7, Salmos 115:14-15 (versículo 15)

Línea: *El Cielo es grande, amplio, extenso, espacioso y en expansión.*

> Eclesiastés 3:13-14 (versículo14) "También sé que todo lo que Dios ha hecho permanecerá para siempre, sin que nada se le añada ni nada se le quite, y que esto lo hace Dios para que se le guarde reverencia."

> 2 Corintios 3:17-18 (versículo 18) 2 Corintios 4:16-18

Línea: *Todo lo que puedo decirle a la gente es que donde Dios está, ¡ES GRANDE!*

Salmos 40:5 "Tú, Señor mi Dios, has pensado en nosotros, y has realizado grandes maravillas; no es posible hablar de todas ellas. Quisiera contarlas, hablar de cada una, pero su número es incontable."

Salmos 111:2-4, Salmos 115:15-16 (versículo 15), Salmos 123:1

Subtítulo: La distancia y el tiempo

Línea: *Si quisiera estar en otro lugar del Cielo, sólo tendría que pensarlo y estaría allí.*

Hechos 8:38-40 (versículo 39) "Cuando salieron del agua, el Espíritu del Señor se llevó a Felipe y el eunuco no volvió a verlo, pero siguió su camino lleno de gozo."

Ezequiel 3:11-15 (versículos 12-14), Juan 6:15-21 (versículo 21)

Línea: *Sé que superaré todos los problemas que se me presenten y que algún día, muy pronto, estaré de nuevo con Jesús.*

Salmos 90:3-6 (versículo 4) "Por la mañana crecemos y florecemos, y por la tarde se nos corta, y nos secamos."

Salmos 102:23-28 (versículo 24), 2 Pedro 3:8-9 (versículo 8)

Línea: *¿Cómo pones tiempo a la eternidad? ¿Por qué poner el tiempo en la eternidad*

Génesis 8:20-22 (versículo 22) "Mientras la tierra permanezca, no faltarán la sementera y la siega, ni el frío y el calor, ni el verano y el invierno, ni el día y la noche.»"

Génesis 1:14-19 (versículo 14)

Subtítulo: La atmósfera en el Cielo

Línea: *Jesús y el Padre lo iluminan todo. No existe oscuridad en el Cielo.*

Apocalipsis 22:4-5 (versículo 5) "Allí no volverá a haber noche; no hará falta la luz de ninguna lámpara ni la luz del sol, porque Dios el Señor los iluminará. Y reinarán por los siglos de los siglos."

Isaías 60:19-20 (versículo 19), 2 Corintios 4:5-6 (versículo 6)

Línea: *Es un dorado, un amarillo y un blanco. Un artista que conozco dice que suena como los colores del amanecer.*

Job 37:21-23 (versículo 22) "Desde el norte vienen rayos dorados que anuncian la imponente majestad de Dios."

Lee Job 37:21-23 notas de la BIBLIA de NET en bible.org

Subtítulo: Los colores en el Cielo

Línea: *Los colores de las flores aquí en la Tierra son los más parecidos a los colores que experimenté en el Cielo y, sin embargo, incluso los colores de estas flores han perdido su gloria a comparación de los colores del Cielo.*

Mateo 6:28-30 (versículo 28-30) "¿Y por qué se preocupan por el vestido? Observen cómo crecen los lirios del campo: no trabajan ni hilan, 29 y aun así ni el mismo Salomón, con toda su gloria, se vistió como uno de ellos. 30 Pues si Dios viste así a la hierba, que hoy está en el campo y mañana se echa en el horno, ¿no hará mucho más por ustedes, hombres de poca fe?"

Lucas 12:27-28 (versículo 27)

Subtítulo: Las palabras de Jesús están vivas

Línea: *Su voz salió con poder y autoridad, pero cuando llegó a mí, fue vida y consuelo.*

Salmos 107:20 "Con el poder de su palabra los sanó, y los libró de caer en el sepulcro."

Apocalipsis 1:9-20 (versículos 10,12)

Línea: *Pero, sentí que hablar palabras en el Cielo era un desperdicio de energía o simplemente no era importante.*

Eclesiastés 5:6-7 (versículo 7) "Tú debes temer a Dios. Porque cuando los sueños aumentan, también aumentan las palabras huecas."

Subtítulo: Comunicación en el Cielo

Línea: *Jesús y el Padre pensaron algo y me lo transfirieron. Los otros seres formaron un pensamiento, y se me transfirió.*

Hechos 16:6-10 (versículo 9-10) "Allí, una noche Pablo tuvo una visión, en la que veía ante él a un varón macedonio, que suplicante le decía: «Pasa a Macedonia, y ayúdanos.» 10 Después de que Pablo tuvo la visión, enseguida nos dispusimos a partir hacia Macedonia, pues estábamos seguros de que Dios nos estaba llamando a anunciarles el evangelio."

Hechos 27: 9-12 (versículo 10)

Línea: *Así es con toda la creación de Dios. Como todo está vivo, todos pueden comunicarse contigo.*

Apocalipsis 4:6-9 (versículo 7-9) "Delante del trono había algo que parecía un mar de vidrio semejante al cristal, y en el centro, alrededor del trono, había cuatro seres vivientes que tenían ojos por delante y por detrás. 7 El primer ser viviente parecía un león, el segundo parecía un becerro, el rostro del tercero era semejante al de un hombre, y el cuarto parecía un águila en vuelo. 8 Cada uno de los cuatro seres vivientes tenía seis alas, y estaba lleno de ojos por fuera y por dentro. Día y noche no cesaban de decir: «Santo, santo, santo es el Señor Dios Todopoderoso, el que era, el que es, y el que ha de venir.» 9 Cada vez que aquellos seres vivientes daban gloria, honra y acción de gracias al que estaba sentado en el trono y que vive por los siglos de los siglos," (versículo 11) "Eres digno, Oh Señor, para recibir gloria, honor y poder; Porque tú creaste todas las cosas, y por tu voluntad existen y fueron creadas".

Apocalipsis 8:12-13 (versículo 13), Lea Apocalipsis 8:13 de la BIBLIA NETA en bible.org, Apocalipsis 10:2-4, (versículos 3-4), Apocalipsis 16:4-7 (versículo 7) Lea Apocalipsis 16:7 de la BIBLIA NETA en bible.org

Línea: *Todo estaba bien, así que no hubo comunicación errónea el uno con el otro.*

Colosenses 4:2-6 (versículo 5-6) "Compórtense sabiamente con los no creyentes, y aprovechen bien el tiempo. 6 Procuren que su conversación siempre sea agradable y de buen gusto, para que den a cada uno la respuesta debida."

Línea: *No había nada que tuviera que esconder el uno del otro. Todos teníamos pensamientos puros y cada pensamiento era puro.*

Filipenses 4:7-9 (versículo 8) "Por lo demás, hermanos, piensen en todo lo que es verdadero, en todo lo honesto, en todo lo justo, en todo lo puro, en todo lo amable, en todo lo que es digno de alabanza; si hay en ello alguna virtud, si hay algo que admirar, piensen en ello."

Génesis 2:23-25 (versículo 25), Génesis 3:4-7 (versículo 7)

Línea: *Había una regla a seguir: no se entraba en los pensamientos de las creaciones celestiales sin recibir primero su permiso.*

1 Corintios 6:12 "Todo me está permitido, pero no todo me conviene. Todo me está permitido, pero no permitiré que nada me domine."

1 Corintios 8:8-9 (versículo 9)

Línea: *Satanás, el último ser que rompió la regla ya no está en el Cielo. Imagina el poder que tendríamos si realmente comprendiéramos el poder de nuestros pensamientos?*

Isaías 14:12-15 (versículo 12) "¡Cómo caíste del cielo, lucero de la mañana! ¡Cómo caíste por tierra, tú que derrotabas a las naciones!"

(versículo 15) "Pero ¡ay!, has caído a lo más profundo del sepulcro, a lo más remoto del abismo."

Ezequiel. 28:14-17 (versículo 17), Lucas 10:17-20, (versículo) 18

Subtítulo: Todos y todo alabaron al Señor

Línea: *Cada parte de la creación de Dios alaba a Dios todo el tiempo, y nadie más recibe alabanzas, sólo Dios.*

Isaías 42:5-9 (versículo 8) "Yo soy el Señor. Éste es mi nombre, y no daré a otro mi gloria, ni mi alabanza a esculturas. 9 Como pueden ver, los primeros acontecimientos se han cumplido, y ahora les anuncio nuevos acontecimientos; yo se los hago saber antes de que ocurran.»"

Éxodo 20:2-6 (versículos 3-5), Lucas 4:5-8 (versículo 8), Apocalipsis 21:22-27 (versículo 22)

Línea: *Cuando estás en el Cielo sabes que eso es lo que haces.*

Salmos146:1-2 (versículo 1) "Alaba, alma mía, al Señor.
2 Mientras yo viva, alabaré al Señor; todos los días de mi vida le cantaré salmos."

Salmos 148:1-7 (versículo 1), Salmos 149:1-9 (versículo 1), Salmos 150:1-6 (versículo 2)

Línea: *Escuchar las flores alabar al Señor es maravilloso. Los pájaros le cantan alabanzas al Señor. El agua alaba al Señor. Las montañas alababan al Señor. Las alabanzas venían de la atmósfera. Las alabanzas estaban en la atmósfera. La alabanza era el ambiente. Todos le alabamos repetidamente, una y otra vez.*

Salmos 148:1-14 (versículo 2-14) ¡Que alaben al Señor todos sus ángeles!

¡Que alaben al Señor todos sus ejércitos! 3 ¡Que alaben al Señor el sol y la luna! Que alaben al Señor las estrellas refulgentes! 4 ¡Que alaben al Señor los cielos de los cielos, y las aguas que están sobre los cielos! 5 ¡Alabado sea el nombre del Señor! El Señor dio una orden, y todo fue creado. 6 Todo quedó para siempre en su lugar; el Señor dio una orden que no se debe alterar. 7 Que alaben al Señor, desde la tierra, los monstruos marinos y el mar profundo; 8 el fuego y el granizo, la nieve y el rocío, y el viento tempestuoso que ejecuta su palabra;9 los montes y las colinas, los árboles frutales y los cedros, 10 los animales salvajes y los domésticos, los reptiles y los pájaros, 11 los reyes de la tierra y todos los pueblos, todos los jefes y gobernantes de la tierra, 12 los jóvenes y las doncellas, los ancianos y los niños. 13 ¡Alabado sea el nombre del Señor! ¡Sólo su nombre merece ser exaltado! ¡Su gloria domina los cielos y la tierra!

Línea: *Escribir esto me recuerda el hecho de que la alabanza nunca dejó mi pensamiento cuando estaba en el Cielo.*

Juan 4:23-24 "Pero viene la hora, y ya llegó, cuando los verdaderos adoradores adorarán al Padre en espíritu y en verdad; porque también el Padre busca que lo adoren tales adoradores. Dios es Espíritu; y es necesario que los que lo adoran, lo adoren en espíritu y en verdad.»"

Mateo 21:15-16 (versículo 16), Filipenses 3:17-21 (versículos 20-21)

Subtítulo: Nuestra conexión en el Cielo

Línea: *Dios es la conexión entre todas y cada una de sus creaciones.*

2 Corintios 12:4-21 (versículo 6) "Sin embargo, no sería insensato de mi parte el querer jactarme, porque estaría diciendo la verdad; pero prefiero no hacerlo, para que nadie piense de mí más de lo que ve u oye de mí."

(versículo 11-13) "Al jactarme, me he portado como un necio; pero ustedes me han obligado a hacerlo así. Aunque no soy nadie, yo debía haber sido alabado por ustedes, ya que en nada he sido menos que esos grandes apóstoles. 12 Con todo, las señales de apóstol se han realizado entre ustedes con toda paciencia, por medio de señales, prodigios y milagros. 13¿En qué han sido ustedes menos que las otras iglesias, sino en que yo mismo nunca les he sido una carga? ¡Perdónenme este agravio!"

(versículo 18) "Rogué a Tito que los visitara, y con él envié al hermano. ¿Acaso Tito los engañó? ¿Qué, no hemos actuado con el mismo espíritu y de la misma manera?"

(versículo 20) "Mucho me temo que, cuando llegue, no los encuentre como quisiera encontrarlos, y que tampoco ustedes me encuentren así. Me temo que entre ustedes hay pleitos, envidias, enojos, divisiones, calumnias, chismes, insolencias y desórdenes."

1 Corintios 12:25-26 "Para que no haya desavenencia en el cuerpo, sino que los miembros todos se preocupen los unos por los otros.26 De manera que si un miembro padece, todos los miembros se duelen con él, y si un miembro recibe honra, todos los miembros con él se gozan."

Romanos 15:5-6, Colosenses 2:1-3 (versículos 2-3)

Subtítulo: Relatando mi experiencia contigo

Línea: *No hay pecado que corrompa lo que Dios ha hecho.*

Apocalipsis 21:22-27 (versículo 27) "Y no entrará en ella nada que sea impuro, o detestable, o falso, sino solamente los que están inscritos en el libro de la vida del Cordero."

Notas del Capítulo 8

El verdadero guardián del Cielo subtítulo: Ninguno

Línea: *Llegué a entender quién es el verdadero guardián del Cielo. Es Jesús, sólo Jesús.*

> Juan 6:38-40 (versículo 40) "Y ésta es la voluntad de mi Padre: Que todo aquel que ve al Hijo, y cree en él, tenga vida eterna; y yo lo resucitaré en el día final.»"

> Juan 10:14-16 (versículos 15-16), 2 Pedro 3:8-9 (versículo 9)

Subtítulo: Miré los ojos de Jesús

Línea: *Los ojos de Jesús son como llamas de fuego con colores cambiantes de rojo, naranja, azul, verde, amarillo y muchos otros colores dentro de ellos. Juan dijo en*

> Apocalipsis 1:12-14 "Yo volví la mirada para ver de quién era la voz que hablaba conmigo, y al volverme vi siete candeleros de oro; 13 en medio de los siete candeleros vi a alguien, semejante al Hijo del Hombre, que vestía un ropaje que le llegaba hasta los pies, y que llevaba un cinto de oro a la altura del pecho. 14 Su cabeza y sus cabellos eran blancos como lana. Parecían de nieve. Sus ojos chispeaban como una llama de fuego."

> Apocalipsis 2:18-19 (versículo 18), Apocalipsis 19:11-14 (versículo 12)

Línea: *Vi en los ojos de Jesús que deseaba que todos los que todavía estamos vivos en la Tierra estuviésemos con Él en el Cielo.*

> 1 Timoteo 2:1-4 (versículo 1) "Ante todo, exhorto a que se hagan rogativas, oraciones, peticiones y acciones de gracias por todos los hombre."

>> (versículo 3-4) "Porque esto es bueno y agradable delante de Dios nuestro Salvador, 4 el cual quiere que todos los hombres sean salvos y lleguen a conocer la verdad."

Isaías 55:6-7 (versículo 7), Lucas 5:29-32 (versículos 31-32)

Subtítulo: Él nos ama pase lo que pase

Línea: *Entonces sus ojos me miraron con la llama roja ardiente y dijeron: "¿Quién eres tú para anular lo que he hecho?*

Romanos 5:6-11 (versículo 6) "Porque a su debido tiempo, cuando aún éramos débiles, Cristo murió por los pecadores."

(versículo 8-11) "Pero Dios muestra su amor por nosotros en que, cuando aún éramos pecadores, Cristo murió por nosotros. 9 Con mucha más razón, ahora que ya hemos sido justificados en su sangre, seremos salvados del castigo por medio de él. 10 Porque, si cuando éramos enemigos de Dios fuimos reconciliados con él mediante la muerte de su Hijo, mucho más ahora, que estamos reconciliados, seremos salvados por su vida. 11 Y no sólo esto, sino que también nos regocijamos en Dios por nuestro Señor Jesucristo, por quien ahora hemos recibido la reconciliación."

Romanos 4:24-25 (versículo 25), Romanos 6:3-10 (versículos 4,8-10), Gálatas 1:3-5 (versículo 4), Efesios 2:1-10 (versículos 1,4-6,8,10)

Notas del Capítulo 10

Jesús quiere que todas las personas se salven

Línea: *Organizaba una estrategia con algunos seres que estaban de pie en un medio círculo frente a Él.*

Proverbios 19:20-21 (versículo 21) "Son muchas las ideas del corazón humano; sólo el consejo del Señor permanece."

2 Crónicas 20:13-17 (versículos 14-17), Isaías 9:6-7 (versículo 6), Lea las notas de Isa 9:6-7 de la BIBLIA NETA en bible.org, Isaías 55:8-9

Línea: *Les comunicaba sus planes de cómo hacer que más personas en esta Tierra lo conocieran como Señor y Salvador.*

Mateo 9:35-38 "Jesús recorría todas las ciudades y las aldeas, y enseñaba en las sinagogas de ellos, predicaba el evangelio del reino y sanaba toda enfermedad y toda dolencia del pueblo. 36 Al ver las multitudes, Jesús tuvo compasión de ellas porque estaban desamparadas y dispersas, como ovejas que no tienen pastor. 37 Entonces dijo a sus discípulos: «Ciertamente, es mucha la mies, pero son pocos los segadores. 38 Por tanto, pidan al Señor de la mies que envíe segadores a cosechar la mies.»"

Mateo 18:10-14 (versículos 10-11,14), Lucas 15:1-10 (versículos 12,7,10), Juan 6:35-47 (versículos 37,39-40,44,47-48)

Línea: *Dios está usando todo lo que puede para que la gente conozca a Jesús como Señor y Salvador.*

Ezequiel 18:30-32 (versículo 32) "Porque yo no quiero que ninguno de ustedes muera. Así que vuélvanse a mí, y vivirán."

Isaías 111:9, Juan 6:43-44 (versículo 44)

Línea: *Está buscando gente en la Tierra que trabaje con Él para que otras personas conozcan quién es Él.*

Ezequiel 22:30-31 (versículo 30) "Yo he buscado entre ellos alguien que se enfrente a mí e interceda en favor de la tierra, para que yo no la destruya. ¡Pero no he encontrado a nadie!"

1 Samuel 13:13-14 (versículo 14), Daniel 9:2-3 (versículo 3)

Línea: *Jesús está instando a toda la humanidad a perseverar por el Reino de Dios.*

Lucas 16:16-17 (versículo 16) "La ley y los profetas llegan hasta Juan. Desde entonces se anuncian las buenas noticias del reino de Dios, y todos se esfuerzan por entrar en él."

Efesios 4:1-3 (versículos 1, 3), 1 Tesalonicenses 2:10-12 (versículo 11)

Línea: *¡Somos muy importantes para Él!*

Mateo 10:29-31 (versículo 30-31) "Pues aun los cabellos de ustedes están todos contados. 31 Así que no teman, pues ustedes valen más que muchos pajarillos."

Lucas 12:4-7 (versículo 6), Romanos 8: 18-30 (versículo 30)

Línea: *Debido a esto, comprendí lo importantes que somos para Él.*

Daniel 4:1-3 (versículo 4) "Yo, Nabucodonosor, gozaba en mi palacio de tranquilidad y prosperidad."

Juan 3:1-18 (versículos 16-17), 1 Timoteo 2:1-4

Subtítulo: Intervenciones celestiales

Línea: *Sin embargo, cuando miro a través del Nuevo Testamento, en más de una ocasión, Jesús envía ángeles en lo que yo llamo "intervenciones celestiales" para lograr que la gente se salve.*

Hechos 8:26-40 (versículo 26) "Un ángel del Señor le habló a Felipe, y le dijo: «Prepárate para ir al desierto del sur, por el camino que va de Jerusalén a Gaza.»"

Hechos 10:1-48 (versículo 3) "Un día, como a las tres de la tarde, Cornelio tuvo una visión, en la que claramente vio que un ángel de Dios entraba en donde él estaba y le hablaba por su nombre."

Hechos 12:5-19 (versículo 7)

Línea: *Tan pronto como alguien acepta a Dios en su corazón, Jesús está allí.*

Daniel 10:10-21 (versículo 12) "Entonces aquel hombre me dijo: «No tengas miedo, Daniel, porque tus palabras fueron oídas desde el primer día en que dispusiste tu corazón a entender y a humillarte en la presencia de tu Dios. Precisamente por causa de tus palabras he venido."

Línea: *Les digo a otros que hay muchas personas en el Cielo que quizá no pensamos que estarían allí.*

Romanos 14:1-4 (versículo 4) "¿Quién eres tú, para juzgar al criado ajeno? Si éste se mantiene firme o cae, es un asunto de su propio amo. Pero se mantendrá firme, porque el Señor es poderoso para mantenerlo así."

Mateo 22:1-14, (versículos 8-9), Juan 10:22-30 (versículos 27-28)

Línea: *También hay quienes pensábamos estarían en el Cielo, pero no lo están.*

Mateo 22:1-13 (versículo 11-13) "Cuando el rey entró para ver a los invitados y se encontró con uno que no estaba vestido para la boda, 12 le dijo: "Amigo, ¿cómo fue que entraste aquí, sin estar vestido para la boda?" Y aquél enmudeció. 13 Entonces el rey dijo a los que servían: "Aten a éste de pies y manos, y échenlo de aquí, a las tinieblas de afuera. ¡Allí habrá llanto y rechinar de dientes!"

Mateo 23:27-28, Romanos 11:19-36 (versículos 20-21)

Línea: *Como dice en romanos capítulo 10, Dios mira el corazón de una persona, no sólo lo que dice o hace.*

Romanos 10:1-13 (versículo 9-10) "Si confiesas con tu boca que Jesús es el Señor, y crees en tu corazón que Dios lo levantó de los muertos, serás salvo.» 10 Porque con el corazón se cree para alcanzar la justicia, pero con la boca se confiesa para alcanzar la salvación."

Lucas 6:46-49 (versículo 48), Juan 2:23-25 (versículos 24-25)

Línea: *El Cielo es un lugar donde todo es perfecto y todos somos justificados para estar en este lugar de rectitud.*

Romanos 10:1-13 (versículo 4) "Porque Cristo es el fin de la ley para la rectitud de todos los que creen."

Salmos 119:137-144 (versículo 144), 2 Corintios 5:12-21 (versículo 21)

Línea: *Allí todo está vivo y todos tienen derecho a vivir con Dios para siempre.*

Juan 3:1-21 (versículo 17) "Porque Dios no envió a su Hijo al mundo para condenar al mundo, sino para que el mundo sea salvo por él."

Juan 5:24-30 (versículo 24), Juan 17:20-26 (versículo 24)

Subtítulo: El Ejército de Dios

Línea: *Hay una unidad celestial y una unidad terrestre, pero las dos son el mismo ejército de Dios.*

1 Samuel 17:1-58 (versículo 45-46) "Uno de esos días, Yesé le dijo a David, su hijo: «Ve al campamento y llévales a tus hermanos veinte litros de trigo tostado y estos diez panes. 18 Lleva también diez quesos de leche, y entrégaselos al comandante del batallón; pero asegúrate de que ellos estén bien, y tráeme algo que pruebe que están bien."

Génesis 3:1-24 (versículo 24), Efesios 6:10-12 (versículo 12)

Línea: *La unidad celestial está formada por los ángeles de Dios que comprendieron a qué gobierno pertenecen.*

Mateo 26:48-54 (versículo 53) "No te parece que yo puedo orar a mi Padre, y que él puede mandarme ahora mismo más de doce legiones de ángeles?"

2 Reyes 6:8-23 (versículo 17), Daniel 4:34-36 (versículo 35)

Línea: *La unidad celestial está formada por los ángeles de Dios que comprendieron a qué gobierno pertenecen.*

Daniel 7:9-14 (versículo 13-14) "Mientras tenía yo esta visión durante la noche, vi que en las nubes del cielo venía alguien semejante a un hijo de hombre, el cual se acercó al Anciano entrado en años, y hasta se le pidió acercarse más a él. 14 Y se le dio el dominio, la gloria y el reino, para que todos los pueblos y naciones y lenguas le sirvieran. Y su dominio es eterno y nunca tendrá fin, y su reino jamás será destruido."

Daniel 2:24-45 (versículos 44-45), Mateo 18;10-14 (versículo 10)

Línea: *Entendieron para que Reino trabajaban.*

Mateo 13:36-43 "Y los echarán en el horno de fuego; allí habrá llanto y rechinar de dientes. 43 Entonces, en el reino de su Padre los justos resplandecerán como el sol. El que tenga oídos, que oiga."

Hebreos 12:25-29 (versículo 28), Apocalipsis 19:11-16 (versículo 14)

Línea: *Cuando Jesús se comunicaba con ellos, mostraban gran asombro o respeto.*

1 Pedro 3:18-22 (versículo 22) "Quien subió al cielo y está a la derecha de Dios, y a quien están sujetos los ángeles, las autoridades y las potestades."

Salmos 89:5-7 (verse 5), Isaías 6:1-3 (versículo 2)

Línea: *Cuando Jesús se comunicaba con ellos, mostraban un gran ASOM-BRO o respeto.*

Apocalipsis 19:11-16 (versículo 16) "En su manto y en su muslo lleva inscrito este nombre: «Rey de reyes y Señor de señores.»"

Proverbios 19:12-25 (versículo 23), Filipenses 2:5-11 (versículos 9-11)

Línea: *Fui testigo de cómo esas criaturas celestiales se inclinaban cuando venían ante el Señor y se inclinaban antes de dejar a Jesús, y luego volverse a como entraron.*

Salmos 89:1-18 (versículo 7) "¡Dios temible en el concilio de los santos!
¡Dios grande y terrible sobre cuantos lo rodean!"

Zacarías 6:1-8 (versos 5-7)

Línea: *Se retiraban rápidamente para cumplir con las asignaciones que Él les envió a hacer.*

Joel 2:5-11 (versículo 7-8) "Corren como soldados, trepan por los muros como guerreros; cada uno de ellos mantiene la marcha, sin cambiar el rumbo. 8 Ninguno estorba a su compañero; cada uno mantiene el paso; ¡no hay espada que los detenga!"

Daniel 10:10-24 (versículo 11), Lucas 2:8-14, (versículos 9-10,13-14)

Línea: *Él les envió a hacer.*

Mateo 24:29-31(versículo 31) "Y enviará a sus ángeles con gran voz de trompeta, y de los cuatro vientos, desde un extremo al otro del cielo, ellos juntarán a sus elegidos."

Lucas 1:1-25 (versículo 19)

Línea:*... y no vi a ninguno de ellos cuestionar nada de lo que Él les mandaba hacer.*

Judas 1:5-10 (versículo 9) "Pero ni siquiera el arcángel
Miguel, cuando luchaba con el diablo y le disputaba el cuerpo de
Moisés, se atrevió a proferir contra él juicio de maldición, sino que
le dijo: «Que el Señor te reprenda.»"

Lucas 1:5-25 (versículos 19-20)

Línea: *Esta unidad celestial fue enviada a luchar en los Cielos.*

2 Samuel 5:17-25 (versículo 23-24) "Entonces David consultó
al Señor, y el Señor le dijo: «No ataques de frente. Rodéalos, y
atácalos frente a los árboles de bálsamo. 24 Atácalos cuando oigas
sobre las copas de los árboles un ruido como de un ejército en
marcha, porque el Señor se pondrá en la vanguardia y herirá de
muerte al ejército filisteo.»"

Daniel 10:10-21 (versículo 13), Apocalipsis 12:7-12 (versículo 7)

Línea: *Estaban luchando contra espíritus malignos que pertenecen al ejército de Satanás.*

Efesios 6:10-20 (versículo 12) "La batalla que libramos no es
contra gente de carne y hueso, sino contra principados y potestades,
contra los que gobiernan las tinieblas de este mundo, ¡contra
huestes espirituales de maldad en las regiones celestes!"

Daniel 10:1-21 (versículos 20-21)

Línea: *Sabía que era la oración la que determinaban las acciones celestiales.*

Mateo 9:35-38 (versículo 37) "Entonces dijo a sus discípulos: "La
mies es verdaderamente abundante, pero los obreros son pocos"".

(versículo 38) Por tanto, ruego al Señor de la cosecha que envíe
obreros a Su cosecha".

2 Crónicas 7:12-21 (versículos 14-15), Mateo 6:5-13 (versículos
8-10)

Línea: *Luego, estaba la unidad terrenal.*

1 Samuel 17:1-58 (versículo 26) "Entonces David les preguntó a los que estaban allí cerca: «¿Qué recompensa se le dará a quien venza a este filisteo y libre a Israel de semejante afrenta? ¿Quién es este filisteo incircunciso, para provocar al ejército del Dios vivo?»

(versículo 45) "Pero David le respondió «Tú vienes contra mí armado de espada, lanza y jabalina; pero yo vengo contra ti en el nombre del Señor de los ejércitos, el Dios de los escuadrones de Israel, a quien tú has provocado."

Efesios 6:10-20 (versículos 10-11)

Línea: *Cuando Jesús me dijo que regresara, supe dentro que él estaba diciendo: "Te necesito en la Tierra más que aquí", y me fui como soldado que va a la guerra.*

Mateo 28:16-20 (versículo 19-20) "Por tanto, vayan y hagan discípulos en todas las naciones, y bautícenlos en el nombre del Padre, y del Hijo, y del Espíritu Santo. 20 Enséñenles a cumplir todas las cosas que les he mandado. Y yo estaré con ustedes todos los días, hasta el fin del mundo.» Amén."

Colosenses 4:1-10 (versículo 2)

Línea: *Sabía que sería por un corto tiempo y que mi vida en esta Tierra sería corta.*

Salmos 39:4-6 (versículo 5) "Tú me has dado una vida muy corta; ante ti, mis años de vida no son nada. ¡Ay, un simple soplo somos los mortales!

Filipenses 3:17-20 (versículo 20), Hebreos 11:13-16 (versículo 13)

Línea: *Quiero ser parte de esta unidad aquí en un mundo donde pueda salvar corazones para Jesús y salvar a la gente. Es conseguir que la gente viva con Él para siempre.*

Juan 3:16 "Porque de tal manera amó Dios al mundo, que ha dado a su Hijo unigénito, para que todo aquel que en él cree, no se pierda, mas tenga vida eterna."

2 Corintios 12-20 (versículo 14), 1 Juan 3:1-3 (versículo 1)

Subtítulo: El ejército de Dios en la Tierra

Línea: *En primer lugar, esta unidad está compuesta por personas que aman a Dios con todo su ser.*

> Salmos 31:21-24 (versículo 23) "Ustedes, fieles del Señor, ¡ámenlo! El Señor cuida de quienes le son fieles, pero a los que actúan guiados por la soberbia les da el castigo que merecen."

> Mateo 22:34-40 (versículo 37) "Jesús le respondió: «"Amarás al Señor tu Dios con todo tu corazón, y con toda tu alma, y con toda tu."

> Juan 14:15-18 (versículo 15)

Línea: *Estos son los que dicen que Jesús es Señor y Salvador.*

> Mateo 16:24-27 (versículo 24) "A sus discípulos Jesús les dijo: «Si alguno quiere seguirme, niéguese a sí mismo, tome su cruz, y sígame."

> Colosenses 3:12-17 (versículos 12-13)

Línea: *Ellos saben quién los envió.*

> Juan 15:9-17 (versículo 16-17) "Ustedes no me eligieron a mí. Más bien, yo los elegí a ustedes, y los he puesto para que vayan y lleven fruto, y su fruto permanezca; para que todo lo que pidan al Padre en mi nombre, él se lo conceda. 17 Éste es mi mandamiento para ustedes: Que se amen unos a otros."

> Mateo 23:1-36 (versículos 11-12), 1 Timoteo 3:11-13 (versículo 11)

Línea: *Han llegado a una comprensión de su autoridad y la autoridad que tienen.*

> Juan 14:12-14 (versículo 12) "De cierto, de cierto les digo: El que cree en mí, hará también las obras que yo hago; y aun mayores obras hará, porque yo voy al Padre. 13 Y todo lo que pidan al Padre en mi nombre, lo haré, para que el Padre sea glorificado en el Hijo. 14 Si algo piden en mi nombre, yo lo haré."

Línea: *Saben que hay una guerra con Satanás y sus ángeles caídos.*

Efesios 6:10-20 (versículo 11-12) "Créanme que yo estoy en el Padre, y que el Padre está en mí; de otra manera, créanme por las obras mismas.12 »De cierto, de cierto les digo: El que cree en mí, hará también las obras que yo hago; y aun mayores obras hará, porque yo voy al Padre."

Mateo 10:34-39 (versículo 34), 1 Pedro 5:6-11 (versículo 8)

Línea: *Conocen sus armas y las usan en las batallas que liberan.*

2 Corintios 10:1-6 (versículo 3-5) "Es verdad que aún somos seres humanos, pero no luchamos como los seres humanos. 4 Las armas con las que luchamos no son las de este mundo, sino las poderosas armas de Dios, capaces de destruir fortalezas 5 y de desbaratar argumentos y toda altivez que se levanta contra el conocimiento de Dios, y de llevar cautivo todo pensamiento a la obediencia a Cristo."

Mateo 10:1-4 (versículo 1), Romanos 12:3-8 (versículo 3)

Línea: *Tienen una gran comprensión de bajo qué gobierno y reino están y a quién pertenecen.*

Efesios 2:19-22 (versículo 20-22) "Y están edificados sobre el fundamento de los apóstoles y profetas, cuya principal piedra angular es Jesucristo mismo. 21 En Cristo, todo el edificio, bien coordinado, va creciendo para llegar a ser un templo santo en el Señor; 22 en Cristo, también ustedes son edificados en unión con él, para que allí habite Dios en el Espíritu."

Salmos 47:8-9 (versículo 8), Juan 12:44-50 (versículos 49-50)

Línea: *Pasan mucho tiempo con el Padre, en su Palabra y en oración.*

Mateo 26:36-46 (versículo 41) "Manténganse despiertos, y oren, para que no caigan en tentación. A decir verdad, el espíritu está dispuesto, pero la carne es débil.»"

2 Timoteo 2:14-26 (versículo15) "Procura con diligencia presentarte ante Dios aprobado, como obrero que no tiene de qué avergonzarse y que usa bien la palabra de verdad."

1 Tesalonicenses 5:12-20 (versículo 17) "ora sin cesar",

Línea: *Son capaces de oír su voz cuando les ordena hacer algo.*

Juan 10:20-30 (versículo 27)" Mis ovejas escuchan Mi voz, y yo las conozco, y me siguen."

Efesios 2:14-18 (versículo 18)

Línea: *Entienden que cuando Jesús o el Padre a través del Espíritu Santo les pide que hagan algo por el Reino, es una orden y no una petición.*

1 Juan 3:16-24 (versículo 22-23) "Y recibiremos de él todo lo que le pidamos, porque obedecemos sus mandamientos, y hacemos las cosas que le son agradables. 23 Éste es su mandamiento: Que creamos en el nombre de su Hijo Jesucristo, y nos amemos unos a otros como Dios nos lo ha mandado."

Juan 15:9-17 (versículo 14), Juan 10:7-21 (versículo 18)

Línea: *Han llegado a conocer su propósito en esta Tierra y lo aceptan.*

Hebreos 10:19-25 (versículo 24) "Tengámonos en cuenta unos a otros, a fin de estimularnos al amor y a las buenas obras. 25 No dejemos de congregarnos, como es la costumbre de algunos, sino animémonos unos a otros; y con más razón ahora que vemos que aquel día se acerca."

Romanos 15:1-6 (versículo 2), Gálatas 6:1-5 (versículos 1-2)

Línea: *Están dispuestos a perder sus vidas aquí en la Tierra por Él.*

Juan 12:20-26 (versículo 25) "El que ama su vida, la perderá; pero el que aborrece su vida en este mundo, la guardará para vida eterna."

Mateo 19:20-22 (versículo 21), Mateo 20:24-28 (versículos 26-27)

Línea: *Saben que son parte de un ejército más grande y tienen un Dios que siempre estará con ellos.*

Mateo 18:15-20 (versículo 20) "Porque donde dos o tres se reúnen en mi nombre, allí estoy yo, en medio de ellos.»

Salmos 78:12-16 (versículo 12), Mateo 11:25-30 (versículo 30)

Línea: *Saben que son parte de un ejército más grande y tienen un Dios que siempre estará con ellos.*

Romanos 8:31-37 (versículo 31-32) "¿Qué más podemos decir? Que si Dios está a nuestro favor, nadie podrá estar en contra de nosotros. 32 El que no escatimó ni a su propio Hijo, sino que lo entregó por todos nosotros, ¿cómo no nos dará también con él todas las cosas?"

Hebreos 12:1-2, Hebreos 13:1-6 (versículos 5-6)

Notas del Capítulo 12

Lo que Jesús me dijo acerca de nuestras iglesias

Subtítulo: Dos Espíritus en la Iglesia

Línea: *Primero, Él me hizo saber que hay dos espíritus o actitudes en nuestras iglesias hoy en día.*

1 Juan 4:4-6 (versículo 6) "Somos de Dios. El que conoce a Dios nos oye; el que no es de Dios no nos escucha. Con esto conocemos el espíritu de verdad y el espíritu de error".

Línea: *Me dijo que estos espíritus no están en una sola denominación.*

Efesios 6:10-20 (versículo 12) "La batalla que libramos no es contra gente de carne y hueso, sino contra principados y potestades, contra los que gobiernan las tinieblas de este mundo, ¡contra huestes espirituales de maldad en las regiones celestes."

Línea: *El capítulo 10 de Romanos contiene las Escrituras que les dice a TODOS lo que deben hacer para entrar en las puertas del Cielo.*

Romanos 10:8-10 (versículo 9-10) "Lo que dice es: «La palabra está cerca de ti, en tu boca y en tu corazón.» Ésta es la palabra de fe que predicamos: 9 «Si confiesas con tu boca que Jesús es el Señor, y crees en tu corazón que Dios lo levantó de los muertos, serás salvo.»"

Línea: *Si solo una persona confiesa a Jesús como Señor y cree que ha resucitado de entre los muertos, Jesús entrará en su corazón y lo llenará de un amor abrumador por Dios y por los demás.*

1 Juan 4:17-19 (versículo 17) "En esto se perfecciona el amor en nosotros: para que tengamos confianza en el día del juicio, pues como él es, así somos nosotros en este mundo."

1 Juan 3:1-3 (versículo 3), 1 Juan 3:10-15 (versículo 11)

Subtítulo: Somos un solo cuerpo

Línea: *Los creyentes en Cristo se reúnen en diferentes templos pero Dios ve a todos los que han aceptado a Jesús como Señor y Salvador como su iglesia.*

> 1 Juan 4:1-3 (versículo 2-3) "Pero ésta es la mejor manera de reconocer el Espíritu de Dios: Todo espíritu que confiesa que Jesucristo ha venido en carne, es de Dios; 3 y todo espíritu que no confiesa a Jesús, no es de Dios. Éste es el espíritu del anticristo, el cual ustedes han oído que viene, y que ya está en el mundo."

> Mateo 16:13-20 (versículo 18), Hechos 2:46-47 (versículo 47), Efesios 5:22-32 (versículo 27), 1 Juan 4:1-3 (versículo 2)

Línea: *Él quiere que cada uno de nosotros pertenezca a un cuerpo local de creyentes para que podamos edificarnos mutuamente para la obra que Él ha puesto ante nosotros.*

> Hebreos 10:19-25 (versículo 24) "Tengámonos en cuenta unos a otros, a fin de estimularnos al amor y a las buenas obras. 25 No dejemos de congregarnos, como es la costumbre de algunos, sino animémonos unos a otros; y con más razón ahora que vemos que aquel día se acerca."

> Efesios 4:11-16 (versículo 11), 1 Juan 1:1-10 (versículos 3,7)

Línea: *Llegué a entender que es parte del gobierno de Dios, como un cuerpo local de aquellos que creen en Jesús como el Hijo de Dios y lo han hecho Señor y Salvador de sus vidas.*

> 1 Juan 4:1-3 (versículo 2-3) "Pero ésta es la mejor manera de reconocer el Espíritu de Dios: Todo espíritu que confiesa que Jesucristo ha venido en carne, es de Dios; 3 y todo espíritu que no confiesa a Jesús, no es de Dios. Éste es el espíritu del anticristo, el cual ustedes han oído que viene, y que ya está en el mundo."

> 1 Juan 3:4-10 (versículo 9), 1 Juan 2:3-6 (versículo 5), 1 Juan 2:20-23 (versículo 23)

Línea: *Son personas que creen que Dios el Padre envió a su Hijo al mundo para salvarlo, para salvarte a ti y para salvar a la gente.*

> Juan 3:1-21 (versículo 17) "Porque Dios no envió a su Hijo al mundo para condenar al mundo, sino para que el mundo sea salvo por él."

> Efesios 2:11-22 (versículo 13)

Línea: *Creen que el Espíritu Santo, Jesús y el Padre son uno, y que sólo hay un Dios verdadero...*

> Juan 14:15-18 (versículo 17-18) "Es decir, el Espíritu de verdad, al cual el mundo no puede recibir porque no lo ve, ni lo conoce; pero ustedes lo conocen, porque permanece con ustedes, y estará en ustedes. 18 »No los dejaré huérfanos; vendré a ustedes."

> Juan 17:6-19 (versículo 11) "Y ya no estoy en el mundo; pero ellos sí están en el mundo, y yo voy a ti. Padre santo, a los que me has dado, cuídalos en tu nombre, para que sean uno, como nosotros."

> Juan 1:1-5 (versículo 1), Juan 10:25-30 (versículo 30), Colosenses 2:8-10 (versículo 9)

Línea: *Creen que el Espíritu Santo, Jesús y el Padre son uno, y que sólo hay un Dios verdadero, el que hizo al hombre, no un Dios hecho por el hombre.*

> Génesis 1:26-28 (versículo 27)"Y Dios creó al hombre a su imagen. Lo creó a imagen de Dios. Hombre y mujer los creó."

> Génesis 5:1-5 (versículo 2), 1 Corintios 11:1-16 (versículo 12)

Línea: *Aquellos que creen que el Espíritu Santo, Jesús y el Padre son uno y que sólo hay un Dios verdadero, el que hizo el hombre, no un Dios hecho por el hombre.*

> Romanos 1:18-25 (versículo 22-23) "Aunque afirmaban que eran sabios, se hicieron necios, 23 y cambiaron la gloria del Dios inmortal por imágenes de hombres mortales, de aves, de cuadrúpedos y de reptiles."

> Salmos 106:19-21 (verse 19), Isaías 19:1-16 (versículo1)

Línea: *Todo el que cree que Jesús es el Cristo ha sido engendrado por Dios*

1 Juan 5:1-5 (versículo 1) "Todo aquel que cree que Jesús es el Cristo, ha nacido de Dios. Todo aquel que ama al que engendró, ama también al que ha sido engendrado por él."

(versículo 4) "Porque todo el que ha nacido de Dios vence al mundo. Y ésta es la victoria que ha vencido al mundo: nuestra fe."

1 Juan 2: 18-29 (versículos 23,29)

Línea: *Él quiere que sigamos sus reglas de su Gobierno o Reino sobre cómo confrontar, corregir y tratar a los demás.*

Mateo 18:15-35 (versículo 15) "Por tanto, si tu hermano peca contra ti, ve y repréndele estando tú y él solos; si te oyere, has ganado a tu hermano".

(versículo 16) "Pero si no oirá, lleve consigo uno o dos más, que por boca de dos o tres testigos cada palabra pueda establecerse."

1 Corintios 6:1-11 (versículo 1)

Subtítulo: El primer espíritu

Línea: *Este espíritu busca servir primero a los demás.*

Mateo 25:34-40 (versículo 40) "»Por tanto, si tu hermano peca contra ti, ve y repréndelo cuando él y tú estén solos. Si te hace caso, habrás ganado a tu hermano."

Filipenses 2:5-8 (versículo 8)

Línea: *Los que tienen este espíritu guardan la Palabra de Dios a toda costa.*

Juan 14:22-31 (versículo 23) "Jesús le respondió: «El que me ama, obedecerá mi palabra; y mi Padre lo amará, y vendremos a él, y con él nos quedaremos a vivir."

Juan 8:31-32 (versículo 31), Hebreos 10:23-25 (versículo 23)

Línea: *No han negado su nombre.*

2 Timoteo 2:11-15 (versículo 11) "Esta palabra es fiel: Si morimos con él, también viviremos con él."

Mateo 10:23-33 (versículo 32), 1 Timoteo 1:18-19 (versículo 19)

Línea: *También saben que su Palabra es la Palabra de perseverancia.*

1 Juan 5:1-19 (versículo 4) "Porque todo el que ha nacido de Dios vence al mundo. Y ésta es la victoria que ha vencido al mundo: nuestra fe."

Salmos 73:25-26 (versículo 26), Isaías 40:27-31 (versículo 31)

Línea: *También saben que su Palabra es la Palabra de perseverancia en la que Él los guardará de la hora de la prueba.*

Hebreos 13:1-6 (versículo 5) "Vivan sin ambicionar el dinero. Más bien, confórmense con lo que ahora tienen, porque Dios ha dicho: «No te desampararé, ni te abandonaré»."

Romanos 8:31-35 (versículo 35), 1 Juan 5:18-21 (versículo 18)

Línea: *Se aferran a lo que saben.*

Lucas 12:8-12 (versículo 8) "También os digo que quien me confiese ante los hombres, él, hijo del hombre, también confesará ante los ángeles de Dios."

Juan 6:22-27 (versículo 27), 1 Timoteo 6:18-19 (versículo 19)

Línea: *Los que tienen este espíritu tienen una corona que nadie puede quitarles. Ellos pueden darlo, pero nadie puede tomarla.*

1 Timoteo 4:6-8, (versículo 8) "Yo les digo que a todo aquel que me confiese delante de los hombres, también el Hijo del Hombre lo confesará delante de los ángeles de Dios."

Salmos 5:11-12 (versículo 12), Mateo 5:5-10 (versículo 10)

Línea: *Ellos están verdaderamente superando todo lo que enfrentan en esta Tierra.*

> Lucas 12:46-49 (versículo 48) "Pero el que se hace acreedor a recibir azotes sin conocer la voluntad de su señor, será azotado poco. Porque al que se le da mucho, también se le exigirá mucho; y al que se le confía mucho, se le pedirá más todavía."

> Salmos 37:27-28 (versículo 28), Romanos 15:1-6 (versículo 4)

Línea: *Serán hechos un pilar en el templo de Dios y no saldrán del templo de Dios.*

> Juan 12:24-26 (versículo 25) "El que ama su vida, la perderá; pero el que aborrece su vida en este mundo, la guardará para vida eterna."

> Juan 14:1-6 (versículo 3), Lucas 12:35-38 (versículo 37)

Línea: *Tendrán el nombre de Dios escrito en ellos junto con el nombre de la ciudad de Dios sobre ellos.*

> Apocalipsis 14:1-5 (versículo 1) "Miré, y vi que el Cordero estaba de pie sobre el monte de Sión, y que con él había ciento cuarenta y cuatro mil personas, las cuales tenían inscritos en la frente el nombre de él y el de su Padre."

Subtítulo: El segundo espíritu

Línea: *Tiene todo que ver con el corazón de cada persona.*

> Juan 2:23-25 (versículo 25) "Y no tenía necesidad de que nadie testificara del hombre, porque Él sabía lo que había en el hombre".

> Salmos 69:5-12 (versículo 5), Mateo 15:15-21 (versículo 19)

Línea: *Este espíritu laodiceano no es ni frío ni caliente.*

> Mateo 15:1-9 (versículo 8-9) "Estas personas se acercan a mí con la boca, y me honran con sus labios, pero su corazón está lejos de mí. Y en vano me adoran, enseñando como doctrinas los mandamientos de los hombres".

> 1 Corintios 10:14-22 (versículo 21)

Línea: *Porque son tibios Él va a escupirlos (griego: vomitarlos) de su boca.*

Levítico 18:1-30 (versículo 28) "No vaya a ser que la tierra los expulse por haberla contaminado, como expulsó a la gente que la habitó antes que ustedes."

Salmos 119:17-27 (versículo 21)

Línea: *Los que tienen este espíritu dicen que son ricos, ricos y que no necesitan nada.*

Jeremías 9:23-24 (versículo 23) "Así ha dicho el Señor: «No debe el sabio vanagloriarse por ser sabio, ni jactarse el valiente por ser valiente, ni presumir el rico por ser rico."

Salmos 49:5-12 (versículos 6-7), 1 Juan 2:15-17 (versículo 15)

Línea: *Jesús dijo que no saben que son realmente miserables, pobres, ciegos y desnudos.*

Eclesiastés 4:1-8 (versículo 8) "Y vi a un hombre solo, sin hijos ni hermanos que lo sucedieran, y que no obstante nunca dejaba de trabajar ni se cansaba de contemplar sus riquezas, ni tampoco se preguntaba: «Y yo, ¿para quién trabajo? ¿Para qué reprimo mi apetito por las cosas buenas?» ¡Y esto también es vanidad, y un trabajo infructuoso!"

1 Timoteo 6:17-19 (versículo 17)

Línea: *Su problema es que Dios conoce su corazón, Él sabe qué espíritu tienen.*

1 Samuel 16:6-13 (versículo 7) "Pero el Señor le dijo: «No te dejes llevar por su apariencia ni por su estatura, porque éste no es mi elegido. Yo soy el Señor, y veo más allá de lo que el hombre ve. El hombre mira lo que está delante de sus ojos, pero yo miro el corazón.»"

Mateo 15:15-20 (versículo 18), Marcos 10:5-9 (versículo 5)

Línea: *Entonces Jesús les dice que compren oro de Aquel que ha sido refinado por el fuego.*

Proverbios 16:8-12 (versículo 8) "Es mejor lo poco del justo que los muchos frutos del injusto."

Hebreos 13:1-6 (versículos 5-6)

Línea: *Quiere que tengan prendas blancas para que puedan vestirse a sí mismos.*

Apocalipsis 19:11-16 (versículo 14) "Y los ejércitos del Cielo, vestidos de lino fino, blancos y limpios, lo siguieron en caballos blancos".

Isaías 1:17-20 (versículo 18), Juan 8:1-12 (versículo 12)

Línea: *Quiere que les abran los ojos para que puedan ver.*

Proverbios 30:11-15 (versículo 12-13) "Es repugnante que los reyes cometan el mal, porque el trono se afirma en la justicia. 13 Es grato que los reyes hablen con justicia, y que amen a los que dicen la verdad."

Leer Apocalipsis 3:18 notas de la Biblia de la RED en bible.org

Línea: *Debido a QUE LOS AMA, los reprueba y disciplina que tienen este espíritu.*

Hebreos 12:5-11 (versículo 5-6) "Y ya han olvidado la exhortación que como a hijos se les dirige: «Hijo mío, no menosprecies la disciplina del Señor, ni te desanimes cuando te reprenda; 6 porque el Señor disciplina al que ama, y azota a todo el que recibe como hijo.»"

1 Corintios 11:27-34 (versículo 32)

Línea: *Jesús está llamando a la puerta de su espíritu, esperando que le abran su espíritu.*

Isaías 54:1-16 (versículo 5) "Tu marido es tu Creador, y su nombre es el Señor de los ejércitos; tu Redentor es el Santo de Israel, y su nombre es el Dios de toda la tierra."

Subtítulo: La Iglesia puede cambiar nuestras naciones

Línea: *La otra cosa que Jesús me comunicó mientras estaba en el Cielo fue "Así como se maneja la iglesia aquí en la tierra, así se lo hace una nación".*

> 2 Crónicas 6:1-42 (versículo 34) "»Cuando tu pueblo salga a la guerra contra sus enemigos por el camino que tú les señales, si oran a ti mirando hacia esta ciudad que tú elegiste, hacia el templo que he edificado para honrar tu nombre, 35 dígnate escuchar desde los cielos su oración y su ruego, y defiende su causa."

> Génesis 41:1-57 (versículo 28)

Línea: *Él realmente quiere que su pueblo, llamado por su nombre, se humille, ore, busque su rostro y se aleje de sus malos caminos.*

> 2 Crónicas 7:12-22 (versículo 14) "si mi pueblo, sobre el cual se invoca mi nombre, se humilla y ora, y busca mi rostro, y se aparta de sus malos caminos, yo lo escucharé desde los cielos, perdonaré sus pecados y sanaré su tierra."

> Génesis 18:1-33 (versículo 32), Daniel 4:1-37 (versículos 1-3)

Línea: *Si Su pueblo hace esto, su nación cambiará.*

> Jonás 3:1-10 (versículo 5) "Todos los habitantes de Nínive creyeron a Dios y decretaron ayuno, y desde el mayor hasta el menor se vistieron de cilicio."

> (versículo 10) "Y al ver Dios lo que hicieron, y que se habían apartado de su mal camino, también él se arrepintió de hacerles el daño que les había anunciado, y desistió de hacerlo."

> 2 Crónicas 20:1-30 (versículos 3, 15, 27)

Línea: *Nosotros que creemos en Jesús como Señor y Salvador podemos cambiar nuestras naciones alrededor, ya sea los Estados Unidos, Perú, Francia, Inglaterra, Canadá, China, Uganda, Israel o cualquier otra nación.*

1 Timoteo 2:1-7 (versículo 1-4) "Ante todo, exhorto a que se hagan rogativas, oraciones, peticiones y acciones de gracias por todos los hombres; 2 por los reyes y por todos los que ocupan altos puestos, para que vivamos con tranquilidad y reposo, y en toda piedad y honestidad. 3 Porque esto es bueno y agradable delante de Dios nuestro Salvador, 4 el cual quiere que todos los hombres sean salvos y lleguen a conocer la verdad. "

Notas del Capítulo 13

Lo que Dios hace con nuestras oraciones

Subtítulo: 2 Corintios 5:8 (RVC) ...quisiéramos más bien ausentarnos del cuerpo y presentarnos ante el Señor

Línea: *Sabía a dónde ir y nadie tenía que decirme a dónde ir.*

> Juan 14:1-6 (versículo 3-4) "Y si me voy y les preparo lugar, vendré otra vez, y los llevaré conmigo, para que donde yo esté, también ustedes estén. 4 Y ustedes saben a dónde voy, y saben el camino.»"

> Filipenses 1:19-26 (versículo 21)

Línea: *Como dice 2 Corintios, estuve ausente de mi cuerpo, y estaba en la presencia de mi Señor.*

> 2 Corintios 5:1-8 (versículo 8) "Pero confiamos, y quisiéramos más bien ausentarnos del cuerpo y presentarnos ante el Señor."

> 1 Corintios 15:50-54 (versículos 51-52)

Línea: *Sin embargo, las oraciones de las personas que oraban por mí y otros se movían más rápido de lo que yo era.*

> Daniel 10:10-21 (versículo 12) "Entonces aquel hombre me dijo: «No tengas miedo, Daniel, porque tus palabras fueron oídas desde el primer día en que dispusiste tu corazón a entender y a humillarte en la presencia de tu Dios. Precisamente por causa de tus palabras he venido."

> Juan 1 (versículo 5:14-15)

Subtítulo: Dos tipos de oraciones

Línea: *Un tipo de oración eran las oraciones de personas que habían hecho una oración y entendían la autoridad que tenían cuando hacían esa oración.*

Marcos 11:20-24 (versículo 24) "Por tanto, les digo: Todo lo que pidan en oración, crean que lo recibirán, y se les concederá."

Juan 15:1-8 (versículo 7), 1 Juan 5:14-15 (versículo 14)

Línea: *Estaban orando con fe de corazón.*

Salmos 34:1-22 (versículo 18) "Cercano está el Señor para salvar a los que tienen roto el corazón y el espíritu."

Línea: *Estaban orando de acuerdo con versículos de la Biblia con entendimiento de su significado.*

Hebreos 4:8-13 (versículo 12) "La palabra de Dios es viva y eficaz, y más cortante que las espadas de dos filos, pues penetra hasta partir el alma y el espíritu, las coyunturas y los tuétanos, y discierne los pensamientos y las intenciones del corazón."

Efesios 1:15-22 (versículo 17)

Línea: *Estaban orando la voluntad de Dios para mí y para otros.*

Romanos 8:18-30 (versículo 26-27) "De igual manera, el Espíritu nos ayuda en nuestra debilidad, pues no sabemos qué nos conviene pedir, pero el Espíritu mismo intercede por nosotros con gemidos indecibles. 27 Pero el que examina los corazones sabe cuál es la intención del Espíritu, porque intercede por los santos conforme a la voluntad de Dios."

Mateo 6:5-14 (versículo 10), Mateo 21:19-22 (versículo 22)

Línea: *Y sabían que Dios respondería a la oración con su poder.*

1 Juan 3:16-23 (versículo 22) "Y recibiremos de él todo lo que le pidamos, porque obedecemos sus mandamientos, y hacemos las cosas que le son agradables."

Juan 9:13-34 (versículo 31)

Línea: *Se nos dice que oremos su voluntad aquí en la Tierra en Mateo 6:10.* Mateo 6:5-14 (versículo 9-10) "Por eso, ustedes deben orar así: "Padre nuestro, que estás en los cielos, santificado sea tu nombre. 10 Venga tu reino. Hágase tu voluntad."

Lucas 11:1-4 (versículo 2)

Línea: *Pero también recuerda el sacrificio y la batalla de mi esposa para conseguir ese resultado.*

Lucas 18:1-8, (versículo 1) "Entonces les habló una parábola, para que los hombres siempre oraran y no perdieran el corazón",

Ezequiel 22:23-30 (versículo 30), Mateo 7:7-12 (versículo 7)

Línea: *Tenían fe en lo que oraban, sin entender realmente por lo que oraban plenamente.*

Efesios 3:14-21 (versículo 20) "Y a Aquel que es poderoso para hacer que todas las cosas excedan a lo que pedimos o entendemos, según el poder que actúa en nosotros."

Génesis 19:27-29 (versículo 29)

Subtítulo: A dónde se van nuestras oraciones

Línea: *No sólo fueron al Padre Dios, sino que entraron en Él.*

Apocalipsis 8:1-6 (versículo 4) "Y el humo del incienso, con las oraciones de los santos, ascendió ante Dios de la mano del ángel".

Salmos 141:1-10 (versículo 2), 2 Crónicas 30:1- 27 (versículo 27), Apocalipsis 5:1-10 (versículo 8)

Línea: *Llegué a entender que Él mismo responde nuestras oraciones.*

Lucas 11:9-13 (versículo 13) "Pues si ustedes, que son malos, saben dar cosas buenas a sus hijos, ¡cuánto más el Padre celestial dará el Espíritu Santo a quienes se lo pidan!"

Salmos 28:6-9 (versículo 7), Salmos 46:1 (versículo 1), Salmos 78:67-72 (versículo 72), Salmos 118:25-27 (versículo 27), Proverbios 3:21-26 (versículo 26), 2 Corintios 1:3-7 (versículo 3)

Subtítulo: Oraciones desde el corazón

Línea: *Comprendí que nuestras oraciones deben salir de nuestro corazón.*

2 Crónicas 6:1-42 (versículo 29-30) "Que toda oración y todo ruego que haga cualquier hombre, o todo tu pueblo Israel, que de corazón reconozca su llaga y su dolor, si tiende las manos hacia esta casa, 30 dígnate escuchar desde los cielos, desde el lugar donde resides, y perdónalos. Examina su corazón y dale a cada uno lo que merecen sus acciones, pues sólo tú conoces el corazón humano."

Proverbios 23:1-35 (versículo 12)

Línea: *Nuestro Dios es un Dios de corazón, y busca que le hablemos desde nuestro corazón.*

Salmos 66:16-20 (versículo 18) "Si mi corazón se hubiera fijado en la maldad, el Señor no me habría escuchado."

Daniel 10:10-20 (versículo 12)

Línea: *Todavía no tengo la palabra para describir esto, pero nuestras oraciones se convierten en sustancia.*

Apocalipsis 5:1-10 (versículo 8) "Tan pronto como lo tomó, los cuatro seres vivientes y los veinticuatro ancianos se arrodillaron ante el Cordero. Todos llevaban arpas, y también copas de oro llenas de incienso, que son las oraciones de los santos".

Salmos 141:1-10 (versículo 2), Apocalipsis 8:1-6 (versículos 3-4)

Línea: *Esta es la razón por la que la mayoría de los niños pequeños reciben lo que piden.*

> Mateo 18:1-5 (versículo 4) "Así que, cualquiera que se humilla como este niño es el mayor en el reino de los cielos; 5 y cualquiera que recibe en mi nombre a un niño como éste, me recibe a mí."

> Marcos 10:13-16 (versículo 15)

Línea: *Él entiende tu corazón.*

> Salmos 139:1-6 (versículo 1) "Señor, tú me has examinado y me conoces."

> Marcos 2:1-2 (versículo 8), Lucas 6:43-45 (versículo 45)

Línea: *Sólo escucha oraciones del corazón.*

> Hechos 10:1-8 (versículo 2) "Cornelio era un hombre piadoso y temeroso de Dios, lo mismo que toda su familia, pues ayudaba mucho a la gente con dinero y siempre oraba a Dios."

> (versículo 4) Cornelio miró fijamente al ángel y, con mucho temor, le preguntó: «Señor, ¿qué se te ofrece?» Y el ángel le respondió: «Dios ha escuchado tus oraciones, y la ayuda que has dado a otros la ha recibido como una ofrenda."

> Daniel 10:10-20 (versículo 12)

Línea: *El Espíritu Santo te lo hará saber.*

> Juan 16:5-15 (versículo 13) "Sin embargo, cuando venga el Espíritu de la verdad, os guiará a toda la verdad; porque no hablará por su cuenta, sino que hablará todo lo que oiga, y os dirá lo que ha de venir".

> Juan 14:15-18 (versículo 17), Hebreos 10:11-17 (versículo 15)

Línea: *Te ayudará a orar desde tu corazón.*

Romanos 8:18-30 (versículo 26-27) "Pero cuando venga el Espíritu de verdad, él los guiará a toda la verdad; porque no hablará por su propia cuenta, sino que hablará todo lo que oiga, y les hará saber las cosas que habrán de venir. 27 Pero el que examina los corazones sabe cuál es la intención del Espíritu, porque intercede por los santos conforme a la voluntad de Dios."

Línea: *El Espíritu Santo vino a ayudarnos a hacer muchas cosas de la manera que Dios quiere que las hagamos.*

1 Corintios 2:10-16 (versículo 11-12) "Porque ¿quién de entre los hombres puede saber las cosas del hombre, sino el espíritu del hombre que está en él? Así mismo, nadie conoce las cosas de Dios, sino el Espíritu de Dios. 12 Y nosotros no hemos recibido el espíritu del mundo, sino el Espíritu que proviene de Dios, para que entendamos lo que Dios nos ha dado."

Juan 7:37-39 (versículos 38-39) Judas 1:20-23 (versículo 20)

Línea: *Mi respuesta a ellos es: "Pídele que te ayude a orar desde tu corazón".*

Salmos 51:1-19 (versículo 10) "Dios mío, ¡crea en mí un corazón limpio! ¡Renueva en mí un espíritu de rectitud!"

Línea: Después de preguntarle de corazón, no tienes que preguntarle nuevamente.

Mateo 7:7-12 (versículo 11) "Pues si ustedes, que son malos, saben dar cosas buenas a sus hijos, ¡cuánto más su Padre que está en los cielos dará buenas cosas a los que le pidan!"

Salmos 50:12-15, Salmos 15 (versículo 66:19-20), Salmos 19-20

Línea: *Ahora dale las gracias.*

Filipenses 4:2-7 (versículo 6) "No se preocupen por nada. Que sus peticiones sean conocidas delante de Dios en toda oración y ruego, con acción de gracias."

Colosenses 4:2-6 (versículo 2)

Subtítulo: Las oraciones no tienen una fecha de caducación

Línea: *Otra cosa que llegué a entender acerca de la oración es que si es una oración desde el corazón, no tiene una vida útil.*

Juan 17:20-26 (versículo 20-21) "Pero no ruego solamente por éstos, sino también por los que han de creer en mí por la palabra de ellos, 21 para que todos sean uno; como tú, oh Padre, en mí, y yo en ti, que también ellos sean uno en nosotros; para que el mundo crea que tú me enviaste."

Salmos 102:12-22 (versículo 17), Hechos 10:1-8 (versículo 4)

Línea: *Él desea que tus seres queridos se salven más de lo que tú puedes desearlo.*

Juan 3:1-21(versículo 17) "Porque Dios no envió a Su Hijo al mundo para condenar al mundo, sino para que el mundo a través de Él pudiera salvarse".

Línea: *Recuerden, el Padre dio a su Hijo, Jesús, para que pudieran ser salvos.*

Romanos 5:6-10 (versículo 8) "Pero Dios muestra su amor por nosotros en que, cuando aún éramos pecadores, Cristo murió por nosotros."

Línea: *No importa si llega a responderse aquí en la Tierra o cuando estés en el Cielo.*

Lucas 15:1-10 (versículo 7) "Les digo que así también será en el cielo: habrá más gozo por un pecador que se arrepiente, que por noventa y nueve justos que no necesitan arrepentirse."

(versículo 10) "Yo les digo a ustedes que el mismo gozo hay delante de los ángeles de Dios por un pecador que se arrepiente."

Línea: *Oraron para que un tataranieto conociera a Jesús como Señor y Salvador.*

2 Timoteo 1: 3-7 (versículo 5) "Pues me viene a la memoria la fe sincera que hay en ti, la cual habitó primero en tu abuela Loida, y en tu madre Eunice, y estoy seguro que habita en ti también."

Línea: *Nuestras oraciones causan un movimiento en el Reino de Dios.*

Mateo 9:35-38 (versículo 38) "Por tanto, pidan al Señor de la mies que envíe segadores a cosechar la mies."

Éxodo 34:1-10 (versículo 9), Filipenses 1:19-26 (versículo 19)

Línea: *En la Biblia podemos leer que debemos orar para que el Señor envíe obreros a Su cosecha en Mateo 9:37-38.*

Lucas 10:1-12 (versículo 3) "Y ustedes, pónganse en camino. Pero tengan en cuenta que yo los envío como a corderos en medio de lobos".

Génesis 19:1-29 (versículo 29)

Subtítulo: Jesús dando órdenes

Línea: *Otra cosa que se debe decir en alto y con claridad es que tenemos al único Dios que escucha la oración.*

Juan 11:38-44 (versículo 41-42) "Entonces quitaron la piedra. Y Jesús, levantando los ojos a lo alto, dijo: «Padre, te doy gracias por haberme escuchado. 42 Yo sabía que siempre me escuchas; pero lo dije por causa de la multitud que está alrededor, para que crean que tú me has enviado.»"

Salmos 65:1-4, Salmos 2 (versículo 115:3-8), Salmos 4-6

Línea: *Sólo vi un Dios, y Él no compartía su Trono con nadie más.*

Juan 17:1-5 (versículo 3) "Y ésta es la vida eterna: que te conozcan a ti, el único Dios verdadero, y a Jesucristo, a quien has enviado."

1 Reyes 18:1-39 (versículo 27), Salmos 68:1-35 (versículo 20)

Notas del Capítulo 14

¡Vi a Dios el Padre en Su Trono y su amor por nosotros! Subtítulo: Ninguno

Línea: *Él es el verdadero Espíritu y debemos adorarlo en espíritu y en verdad.*

Juan 4:1-26 (versículo 23-24) "Pero viene la hora, y ya llegó, cuando los verdaderos adoradores adorarán al Padre en espíritu y en verdad; porque también el Padre busca que lo adoren tales adoradores. 24 Dios es Espíritu; y es necesario que los que lo adoran, lo adoren en espíritu y en verdad.»

Isaías 40:27-31 (versículo 28), Jeremías 23:16-24 (versículo 24)

Línea: *En el Cielo, escuché a toda la creación, excepto a aquellos que han sido redimidos, referirse al Padre Dios como la PALABRA.*

Juan 1:1-5 (versículo 1) "En el principio ya existía la Palabra. La Palabra estaba con Dios, y Dios mismo era la Palabra."

Salmos 54:41, Salmos 119:84-96 (versículo 89), Salmos 123:1

Línea: *Ahora, aquellos de nosotros que somos redimidos lo llamaríamos Padre.*

Juan 20:11-18 (versículo 17) "Jesús le dijo: «No me toques, porque aún no he subido a donde está mi Padre; pero ve a donde están mis hermanos, y diles de mi parte que subo a mi Padre y Padre de ustedes, a mi Dios y Dios de ustedes.»"

Juan 1:6-13 (versículo 12), Efesios 5:1-6 (versículo 1)

Subtítulo: ¿Cómo se ve el Padre?

Línea: Es vasto.

Salmos 90:1-2 (versículo 2) "Antes de que nacieran los montes y de que formaras la tierra y el mundo; desde los tiempos primeros y hasta los tiempos postreros, ¡tú eres Dios!"

Job 9:1-35 (versículos 10-11), Salmos 89:5-7 (versículo 6)

Línea: *Los ángeles que vuelan alrededor de Él diciendo, "Santo, Santo, Santo", son muy pequeños en comparación con Dios.*

> Apocalipsis 4:1-8 (versículo 8) "Cada uno de los cuatro seres vivientes tenía seis alas, y estaba lleno de ojos por fuera y por dentro. Día y noche no cesaban de decir: «Santo, santo, santo es el Señor Dios Todopoderoso, el que era, el que es, y el que ha de venir.»

Línea: *O mejor aún, tenemos la forma de Dios.*

> Génesis 1:24-28 (versículo 26) "Entonces Dios dijo: Hagamos al hombre a nuestra imagen, según Nuestra semejanza; que tengan dominio sobre los peces del mar, sobre las aves del aire, y sobre el ganado, sobre toda la tierra y sobre cada cosa que se arrastra sobre la tierra".

> Números 23:19, 1 Samuel 15:24-35 (versículo 29), Romanos 1:18-32 (versículo 25)

Línea: *Él es resplandeciente como Jesús con muchos colores que salen de Él.*

> Daniel 7:7-10 (versículo 9) "Mientras yo miraba, se colocaron varios tronos, y un Anciano entrado en años se sentó. Su vestido era blanco como la nieve, y su cabello era semejante a lana limpia; su trono era una llama de fuego, y las ruedas del trono eran un fuego ardiente."

> Deuteronomio 33:1-2 (versículo 2), Salmos 18:7-15 (versículo 12)

Subtítulo: El trono del padre

Línea: *Estaba sentado en el Trono y, sin embargo, él es el Trono.*

> Salmos 45:1-17 (versículo 6) "Oh Dios, tu trono es eterno y permanente; tu cetro real es un cetro de justicia."

> Apocalipsis 20:11-15 (versículo 11)

Línea: *El Trono era brillante y parecía una nube.*

Éxodo 34:1-9 (versículo 5-6) "Y el Señor descendió en la nube, y estuvo allí con él, proclamando su nombre. 6 Luego el Señor pasó delante de Moisés, y proclamó:

Salmos 68:1-35 (versículos 4,33-34), 2 Crónicas 6:1-11 (versículo 1)

Línea: *Lo que experimenté sobre el Trono fue que Dios Padre era y nunca ha sido separado del Trono.*

Lucas 9:27-36 (versículo 34-35) "Y mientras decía esto, una nube los cubrió, y tuvieron miedo de entrar en la nube. 35 Entonces, desde la nube se oyó una voz que decía: «Éste es mi Hijo amado. ¡Escúchenlo!»"

Éxodo 13:21-22, Apocalipsis 15:5-8 (versículo 8)

Línea: *Sólo podía decirme a mí mismo después de ver a Dios en el Trono, en medio del Trono, y ser el Trono, "¿Quién podría hacer un Trono para Dios, pero Dios?"*

Salmos 90:1-2 (versículo 2) "Antes de que nacieran los montes y de que formaras la tierra y el mundo; desde los tiempos primeros y hasta los tiempos postreros, ¡tú eres Dios!"

Salmos 50:12-15 (versículo 12), Salmos 68:32-35 (versículo 35), Dan 7:11-14 (versículo 13)

Subtítulo: El amor de nuestro padre por nosotros

Línea: *Pero de todo lo que vi, lo que realmente me destacó fue el amor que Él tiene por todos y cada uno de nosotros en la Tierra.*

Efesios 1:3-6 (versículo 3) "Bendito sea el Dios y padre de nuestro Señor Jesucristo, que nos ha bendecido con toda bendición espiritual en los lugares celestiales de Cristo".

(versículo 4) "Así como Él nos eligió en Él antes de la fundación del mundo, para que seamos santos y sin culpa ante Él en el amor",

Salmos 36:6-5 (versículo 5), 1 Juan 4:7-10 (versículo 10)

Línea: *Llegué a entender que cada vez que tomamos un soplo de aire, el Padre dice: "Te amo".*

Génesis 2:1-7 (versículo 7) "Dios terminó en el día séptimo la obra que hizo; y en ese día reposó de toda su obra."

Subtítulo: Todos somos el número uno

Línea: *Ante el Trono de Dios comprendí que no hay segundo a los ojos de Dios.*

1 Juan 3:1-3, (versículo 1) "Miren cuánto nos ama el Padre, que nos ha concedido ser llamados hijos de Dios. Y lo somos. El mundo no nos conoce, porque no lo conoció a él."

Salmos 36:7-9 (versículo 7), 15:9-16 Juan 9 (versículo 10)

Línea: *Llegué a saber lo valiosos que somos para Él.*

Mateo 10:27-31 (versículo 29-31) "¿Acaso no se venden dos pajarillos por unas cuantas monedas? Aun así, ni uno de ellos cae a tierra sin que el Padre de ustedes lo permita, 30 pues aun los cabellos de ustedes están todos contados. 31 Así que no teman, pues ustedes valen más que muchos pajarillos."

Salmos 33:10-12 (versículo 12), Colosenses 1:12-14 (versículo 13), Romanos 8:29-33 (versículo 31)

Notas del Capítulo 15

Adoración ante el Trono de Dios Subtítulo: Ninguno

Línea: *Entre ellos y el Trono había algo así como agua. Juan dijo en Apocalipsis que era como un mar de cristal.*

> Apocalipsis 4:1-11 (versículo 6) "Delante del trono había algo que parecía un mar de vidrio semejante al cristal, y en el centro, alrededor del trono, había cuatro seres vivientes que tenían ojos por delante y por detrás."

> Apocalipsis 15:1-3 (versículo 2)

Línea: *Justo antes de ver lo que estaba sucediendo ante el Trono de Dios, todo a lo que llamaríamos sonido, se detuvo.*

> Apocalipsis 8:1-6 (versículo 1) "Cuando el Cordero abrió el séptimo sello, hubo silencio en el cielo durante una media hora."

> Zacarías 2:6-13 (versículo 13)

Subtítulo: El líder de adoración celestial

Línea: *Este ser parecía estar haciendo música dentro de sí mismo.*

> Ezequiel 28:13-14 (versículo 13) "Estuviste en el Edén, en el huerto de Dios; tus vestiduras estaban adornadas con toda clase de piedras preciosas: cornalina, topacio, jaspe, crisólito, berilo, ónice, zafiro, carbunclo, esmeralda y oro; todo estaba cuidadosamente preparado para ti en el día de tu creación."

Subtítulo: Un llamado a la adoración

Línea: *Estaba llamando a todo el Cielo a alabar al Padre y a Jesús, tal era el propósito de este ser.*

> Salmos 66:1-20 (versículo 1-2) "¡Ustedes, habitantes de toda la tierra, ¡aclamen a Dios con alegría! 2 ¡Canten salmos a la gloria de su nombre! ¡Cántenle gloriosas alabanzas!"

> Salmos 108:1-6 (versículo 2)

Línea: *Vi a la derecha de mí y a la derecha del Trono, una gran multitud de seres que se levantaron como en varios ascensores de sus rodillas como el primero que se hizo.*

Daniel 7:9-17 (versículo 10) "De su presencia manaba un río de fuego, y a su servicio estaba una multitud imposible de ser contada. El Juez se sentó, y los libros fueron abiertos."

Apocalipsis 7:9-13 (versículo 9), Apocalipsis 19:1-7 (versículos 1,6)

Subtítulo: La multitud de seres

Línea: *Sabía que algunos de los seres celestiales habían estado allí antes del Trono para lo que me pareció, para siempre.*

Apocalipsis 4:7-11 (versículo 8) "Cada uno de los cuatro seres vivientes tenía seis alas, y estaba lleno de ojos por fuera y por dentro. Día y noche no cesaban de decir: «Santo, santo, santo es el Señor Dios Todopoderoso, el que era, el que es, y el que ha de venir.»!"

1 Crónicas 16:7-36 (versículo 36), Salmos 90:1-2 (versículo 2)

Línea: *Cada ser brillaba y era hermoso. Los redimidos que habían sido humanos en la Tierra brillaban y eran blancos como la luz. Los demás eran todos de colores y resplandecientes.*

Daniel 12:1-3 (versículo 3) "Los entendidos resplandecerán como el resplandor del firmamento; y los que instruyen a muchos en la justicia serán como las estrellas por toda la eternidad."

Apocalipsis 19:11-16 (versículo 14), Marcos 9:1-12 (versículo 3)

Línea: *Esta multitud comenzó a alabar al Padre.*

Apocalipsis 5:8-14 (versículo 9) "Y entonaban un cántico nuevo, que decía: «Digno eres de tomar el libro y de abrir sus sellos, porque fuiste inmolado. Con tu sangre redimiste para Dios gente de toda raza, lengua, pueblo y nación."

(versículo 11) "Miré entonces, y alrededor del trono oí la voz de muchos ángeles, y de los seres vivientes y de los ancianos. Eran una multitud incontable; ¡miríadas y miríadas de ellos!"

Salmos 117:1-2 (versículo 1), Apocalipsis 4:10-11 (versículos 11)

Línea: *Cada canción sonaba tan maravillosa, hermosa, encantadora y tan absolutamente indescriptible con palabras humanas.*

Apocalipsis 14:1-5 (versículo 3) "Estaban ante el trono, delante de los cuatro seres vivientes y de los ancianos, y cantaban un cántico nuevo, que nadie más podía aprender sino los ciento cuarenta y cuatro mil que habían sido redimidos de la tierra."

Subtítulo: La parte de adoración del mar similar al cristal

Línea: *Antes de que estas notas llegaran al Padre, el Mar de Cristal que estaba frente al Trono, se levantó en la atmósfera e interceptó las notas. Entonces este mar haría un agujero en sí mismo para que las notas pudieran bailar a través.*

Salmos 93:1-4 (versículo 3-4) "Los ríos levantaron, Señor; los ríos levantaron su voz; los ríos levantaron sus olas.4 Tú, Señor, en las alturas, eres más poderoso que el estruendo de los mares; ¡más poderoso que las fieras olas del mar!"

Apocalipsis 22:1-5 (versículo 1)

Subtítulo: Bailando en el Cielo

Línea: *Después de que las notas salieran del Mar de Cristal a la atmósfera, las notas se encontraron con los colores que salían del Padre.*

Ezequiel 1:1-28 (versículo 28) "Como la aparición de un arco iris en una nube en un día lluvioso, también lo fue la apariencia del brillo a su alrededor. Esta fue la apariencia de la semejanza de la gloria de Jehová".

Apocalipsis 4:1-11 (versículo 3)

Subtítulo: Los truenos del Cielo

Línea: *Los ambientes alababan al Padre en el trono.*

> Apocalipsis 10:1-7 (versículo 4) "Después de que hablaron los siete truenos, me dispuse a escribir, pero desde el cielo oí una voz que me decía: «No reveles lo que han dicho los siete truenos. No lo escribas.»"

> Salmos 65:7-9 (versículo 8), Salmos 89:5-10 (versículo 5), Apocalipsis 4:1-11 (versículo 5), Apocalipsis 14:1-5 (versículo 2)

Subtítulo: Los seres que vuelan alrededor del Padre

Línea: *Había criaturas vivientes como dijo Juan en Apocalipsis 4:6-7, 9 y serafines como Isaías los llamó en Isaías 6:2-4.*

> Apocalipsis 4:6-7 (versículo 9) "Cada vez que aquellos seres vivientes daban gloria, honra y acción de gracias al que estaba sentado en el trono y que vive por los siglos de los siglos."

> Isaías 6:2-4 (versículo 2)

Línea: *Algunos tenían lo que parecían ojos en sus alas y otros no.*

> Apocalipsis 4:6-8 (versículo) "Cada uno de los cuatro seres vivientes tenía seis alas, y estaba lleno de ojos por fuera y por dentro. Día y noche no cesaban de decir: «Santo, santo, santo es el Señor Dios Todopoderoso, el que era, el que es, y el que ha de venir.»"

Línea: *Dentro de su gloria está la alabanza hacia sí mismo.*

> Salmos 24:1-10 (versículo 8) "¿Y quién es este Rey de la gloria?» «¡Es el Señor, el fuerte y valiente! ¡Es el Señor, el poderoso en batalla!»"

> 10 «¿Y quién es este Rey de la gloria?» «¡Es el Señor de los ejércitos! El Señor es el Rey de la gloria!»

> Éxodo 3:13-22 (versículo 14), Salmos 8:1, 2 Colosenses 1:15- 24 (versículo 20), Apocalipsis 4:1-8 (versículo 3)

Subtítulo: La canción de amor del padre

Línea: *Este sonido era el Padre cantando a todos y a cada uno de los seres que le daban alabanza ante el Trono.*

Efesios 3:14-20 (versículo 17) "Para que por la fe Cristo habite en sus corazones, y para que, arraigados y cimentados en amor."

Job 35:10, Salmos 68:33

Línea: *Nada en el Cielo lo detuvo o pensaría en impedir que la canción llegara al ser objetivo.*

Salmos 93:1-5 (versículo 4) "Tú, Señor, en las alturas, eres más poderoso que el estruendo de los mares"

Subtítulo: Su canción de amor es sólo para nosotros

Línea: *El amor de Dios está siendo enviado a todas y cada una de las personas todo el tiempo, y nada puede impedir que este amor nos alcance.*

Juan 3:1-21 (versículo 16) "Porque de tal manera amó Dios al mundo, que ha dado a su Hijo unigénito, para que todo aquel que en él cree no se pierda, sino que tenga vida eterna."

Salmos 33:13-15 (versículo 15)

Línea: *Podemos negar su amor, rechazar su amor o actuar como si su amor no estuviera allí, pero Él sigue enviando su amor a nosotros.*

Juan 3:1-21 (versículo 17) "Porque Dios no envió a su Hijo al mundo para condenar al mundo, sino para que el mundo sea salvo por él."

Notas del Capítulo 16

La creación de seres de Dios

Línea: *Había quienes habían sido humanos aquí en la tierra y ahora están entre los redimidos en el Cielo.*

> Colosenses 1:9-12 (versículo 12) "Darán las gracias al Padre, que nos hizo aptos para participar de la herencia de los santos en luz."

> Hebreos 12:18-24 (versículo 23)

Línea: *Esos seres habían estado en la Tierra y habían hecho de Jesús su Señor y Salvador mientras vivían en esta tierra.*

> Hebreos 12:18-24 (versículo 23) "A la congregación de los primogénitos que están inscritos en los cielos, a Dios, el Juez de todos, a los espíritus de los justos que han sido hechos perfectos"

> Gálatas 3:26-28 (versículo 26)

Línea: *Son perfectos en todos los sentidos, así como el Padre, Jesús y el Espíritu Santo son perfectos.*

> Colosenses 1:24-29 (versículo 28) "Nosotros anunciamos a Cristo, y amonestamos y enseñamos a todo el mundo en toda sabiduría, a fin de presentar perfecta en Cristo Jesús a toda la humanidad."

> Hebreos 6:1-8 (versículo 1), Santiago 3:2-8 (versículo 4)

Línea: *Todos los seres de Dios eran todo para lo que Dios los había creado.*

> Lucas 9:27-36 (versículo 29-31) "Y mientras oraba, cambió la apariencia de su rostro, y su vestido se hizo blanco y resplandeciente. 30 Aparecieron entonces dos hombres, y conversaban con él. Eran Moisés y Elías, 31 que rodeados de gloria hablaban de la partida de Jesús, la cual se iba a cumplir en Jerusalén."

> Ezequiel 3:1-27 (versículo 14), 1 Pedro 5:1-5 (versículo 4)

Línea: *He visto la vida creada.*

> Colosenses 1:16 "En él fue creado todo lo que hay en los cielos
> y en la tierra, todo lo visible y lo invisible; tronos, poderes,
> principados, o autoridades, todo fue creado por medio de él y para
> él."

Subtítulo: Mi familia y mis amigos me dan la bienvenida

Línea: *Vi a mi abuela Mary, al abuelo Lewis, a mi abuela Ruth, el abuelo Begron y muchos de los hermanos y hermanas de mis padres.*

> Mateo 17:1-13 (versículo 2-3) "Y allí se transfiguró delante de
> ellos. Su rostro resplandecía como el sol, y sus vestidos se hicieron
> blancos como la luz. 3 De pronto se les aparecieron Moisés y Elías,
> y hablaban con él. "

> Mateo 27:45-56 (versículos 52-53), Lucas 16:19-31 (versículo 23)

Línea: *Todos los miembros de la familia con los que estaba conectado debido al ADN dentro de mí estaban allí; el ADN del que Dios me había hecho salir.*

> 2 Timoteo 1:3-7 (versículo 5) "Pues me viene a la memoria la fe
> sincera que hay en ti, la cual habitó primero en tu abuela Loida, y
> en tu madre Eunice, y estoy seguro que habita en ti también."

> Salmos 102:23-28, Salmos 28 (versículo 112:1-8), Salmos 1-2

Subtítulo: Asuntos familiares en el Cielo

Línea: *Mis familiares y amigos tenían un amor puro por mí.*

> 1 Juan 3:1-3 (versículo 3) "Y todo aquel que tiene esta esperanza
> en él, se purifica a sí mismo, así como él es puro".

Línea: *Este deseo que tenían por mí de estar con ellos es el mismo deseo que tenemos para que nuestros seres queridos vivan con nosotros en la Tierra para siempre.*

Romanos 9:1-5 (versículo 3-4) "Porque desearía ser yo mismo maldecido y separado de Cristo, por amor a mis hermanos, por los de mi propia raza, 4 que son israelitas. De ellos son la adopción, la gloria, el pacto, la promulgación de la ley, el culto y las promesas."

Línea: *Comprendí que estos miembros de la familia no quieren volver aquí para estar en la Tierra.*

Apocalipsis 19:1-10 (versículo 6) "También oí una voz que parecía el rumor de una gran multitud, o el estruendo de muchas aguas, o el resonar de poderosos truenos, y decía: «¡Aleluya! ¡Reina ya el Señor, nuestro Dios Todopoderoso!"

Línea: *Nunca fuimos destinados a estar separados. Eso no estaba en los planes de Dios para nosotros.*

Génesis 2:1-25 (versículo 24) "Por eso el hombre dejará a su padre y a su madre, y se unirá a su mujer, y serán un solo ser."

Subtítulo: ¡Trae tantos como puedas!

Línea: *Jesús nos ha enviado a nuestra propia familia primero. Quiere que hablemos con ellos y para orar por ellos.*

Salmos 103:15-18 (versículo 17) "Pero el Señor es eternamente misericordioso; él les hace justicia a quienes le honran, y también a sus hijos y descendientes."

Juan 1:35-42 (versículo 42)

Subtítulo: Cómo era la gente

Línea: *Los miembros de mi familia en el Cielo y otros que habían sido seres humanos aquí en la Tierra, brillaban y tenían pura alegría.*

> Apocalipsis 19:11-21 (versículo 14) "Iba seguido de los ejércitos celestiales, que montaban caballos blancos y vestían lino finísimo, blanco y limpio."

> Isaías 1:18-20 (versículo 18), Isaías 62:1-5 (versículo 1)

Línea: *Los miembros de mi familia en el Cielo y otros que habían sido seres humanos aquí en la Tierra resplandecían y tenían un gran gozo.*

> Juan 15:9-17 (versículo 11) "Estas cosas les he hablado, para que mi gozo esté en ustedes, y su gozo sea completo."

> Salmos 92:1-4 (versículo 4), Judas 1:24-25 (versículo 24), Apocalipsis 6:7-17 (versículo 11)

Línea: *Este brillo parecía una larga túnica, pero en realidad era la gloria de Jesús que salía de sus seres.*

> Apocalipsis 21:22-27(versículo 23) "La ciudad no tiene necesidad de que el sol y la luna brillen en ella, porque la ilumina la gloria de Dios y el Cordero es su lumbrera. 24 Las naciones caminarán a la luz de ella, y los reyes de la tierra traerán a ella sus riquezas y su honra."

> Apocalipsis 7:9-17 (versículo 9)

Subtítulo: ¿Hay niños ahí?

Línea: *Los seres celestiales no envejecen porque no hay tiempo en el Cielo.*

> Juan 3:1-21, (versículo 16) "Porque de tal manera amó Dios al mundo, que ha dado a su Hijo unigénito, para que todo aquel que en él cree no se pierda, sino que tenga vida eterna."

> Mateo 22:23-33 (versículo 30), Marcos 12:18- 27 (versículo 25), Juan 6:22-40 (versículo 40)

Subtítulo: ¿Qué haremos en el Cielo?

Línea: Como estás en el Cielo para siempre, estás cumpliendo tu propósito.

Mateo 17:1-12 (versículo 3) "Y he aquí, Moisés y Elías se les aparecieron, hablando con Él"

Apocalipsis 22:6-11 (versículo 9)

Línea: *Nadie estaba pensando que su propósito era menor que el propósito de nadie más.*

1 Corintios 12:12-31 (versículo 12) "Porque así como el cuerpo es uno solo, y tiene muchos miembros, pero todos ellos, siendo muchos, conforman un solo cuerpo, así también Cristo es uno solo."

Línea:... *pero cada creación de Dios se servía mutuamente.*

1 Corintios 12:12-31(versículo 25) "Para que no haya cisma en el cuerpo, pero que los miembros deben tener el mismo cuidado el uno por el otro".

Línea: *Cada creación era igual.*

Romanos 12:3-8 (versículo 5) "Así también nosotros, aunque somos muchos, formamos un solo cuerpo en Cristo, y cada miembro está unido a los demás."

Notas del Capítulo 17

Este no es nuestro subtítulo casero: Solo estamos de paso

Línea: *Fue genial saber realmente que esta Tierra no era mi hogar.*

Juan 15:18-25 (versículo 19) "Si ustedes fueran del mundo, el mundo amaría lo suyo; pero el mundo los aborrece porque ustedes no son del mundo, aun cuando yo los elegí del mundo."

2 Co 4:18-5 (versículo 18), 1 Juan 2:15-17 (versículo 15)

Subtítulo: Esta Tierra no es nuestro hogar

Línea: *Somos embajadores aquí, nosotros que conocemos a Jesús como Señor y Salvador.*

2 Co 5:12-21 (versículo 20) "Así que somos embajadores en nombre de Cristo, y como si Dios les rogara a ustedes por medio de nosotros, en nombre de Cristo les rogamos: «Reconcíliense con Dios»."

Efesios 6:10-20 (versículo 20)

Línea: *La Tierra de hoy no es tan buena como la Tierra de ayer y la Tierra del mañana no será tan buena como la de hoy.*

1 Juan 2:15-19 (versículo 17) "El mundo y sus deseos pasan; pero el que hace la voluntad de Dios permanece para siempre."

Génesis 3:17-19 (versículos 17-18), Romanos 8:20-22 (versículo 21)

Línea: *Este es el único deseo de nuestro Salvador para toda la humanidad.*

Romanos 8:18-30 (versículo 22) "Porque sabemos que toda la creación hasta ahora gime a una, y sufre como si tuviera dolores de parto. 23 Y no sólo ella, sino también nosotros, que tenemos las primicias del Espíritu, gemimos dentro de nosotros mismos mientras esperamos la adopción, la redención de nuestro cuerpo."

Línea: *Dios mismo quiere que sepamos que este no es nuestro hogar y que sólo estamos de paso.*

> Juan 15:18-25 (versículo 18-19) "Si el mundo los aborrece, sepan que a mí me ha aborrecido antes que a ustedes. 19 Si ustedes fueran del mundo, el mundo amaría lo suyo; pero el mundo los aborrece porque ustedes no son del mundo, aun cuando yo los elegí del mundo."

> Juan 18:28-38 (versículo 36), 1 Juan 2:15-17 (versículo 15)

Línea: *Superaremos todos los problemas que tengamos.*

> Colosenses 3:1-11 (versículo 1) "Si entonces fuiste criado con Cristo, buscad aquellas cosas que están arriba, donde está Cristo, sentados a la diestra de Dios".

Línea: *Seguiremos viviendo, ya sea en el Cielo con Dios, o en el infierno donde todo está mal.*

> Filipenses 3:17-21 (versículo 19-20) "Puesto que ustedes ya han resucitado con Cristo, busquen las cosas de arriba, donde está Cristo sentado a la derecha de Dios."

> (versículo 20) "Porque nuestra ciudadanía está en los Cielos, de donde también esperamos ansiosamente al Salvador, el Señor Jesucristo. 20 Ustedes los hijos, obedezcan a sus padres en todo, porque esto agrada al Señor."

> Juan 6:22-40 (versículo 40), 2 Tesalonicenses 1:3-12 (versículo 9)

Subtítulo: La anciana

Línea: *Estaba en casa. Estaba en casa. ¡ESTABA EN CASA!*

> Efesios 2:1-9 (versículo 6) "Y también junto con él nos resucitó, y asimismo nos sentó al lado de Cristo Jesús en los lugares celestiales."

> Juan 14:1-4 (versículo 3)

Notas del Capítulo 18

Ángeles

Línea: *A los humanos nos gusta hacer dioses a las creaciones de Dios, y los ángeles son uno de ellos.*

Romanos 1:18-32 (versículo 25) "Cambiaron la verdad de Dios por la mentira, y honraron y dieron culto a las criaturas antes que al Creador, el cual es bendito por los siglos. Amén."

Gálatas 1:18-24 (versículo 18), Colosenses 2:11-23 (versículo 18)

Línea: *A los humanos también les gusta hacer dioses de los espíritus malignos, diablos y demonios.*

Apocalipsis 9:19-21 (versículo 20) "El resto de la gente, los que no murieron por estas plagas, ni aun así se arrepintieron de su maldad, ni dejaron de adorar a los demonios ni a las imágenes de oro, plata, bronce, piedra y madera, las cuales no pueden ver ni oír ni caminar."

Jeremías 10:1-6 (versículos 8-9), Oseas 13:1-3 (versículo 2)

Línea: *Están hechos para el propósito de Dios.*

Salmos 89:1-52 (versículo 7) "¡Dios temible en el concilio de los santos!
¡Dios grande y terrible sobre cuantos lo rodean!"

Mateo 26,47-56 (versículo 53), Mateo 28:1-8 (versículos 2,7)

Línea: *Ahora que tienen estos significados, miren estos versículos para entender que los ángeles vienen en todos los tamaños y formas. Algunos parecen humanos y otros no.*

Apocalipsis 4:6-9 (versículo 7) "El primer ser viviente parecía un león, el segundo parecía un becerro, el rostro del tercero era semejante al de un hombre, y el cuarto parecía un águila en vuelo."

Ezequiel 1:1-28 (versículo 10)

Subtítulo: Los ángeles parecidos a los caballos

Línea: *Los primeros ángeles que realmente noté fueron lo que llamaríamos caballos. Había tantos caballos. Fue sorprendente para mí.*

Zacarías 1:7-10 (versículo 8) "Una noche vi a un hombre cabalgando un caballo alazán. Estaba entre los mirtos que había en la hondonada, y detrás de él había caballos alazanes, overos y blancos."

Apocalipsis 6:1-9 (versículos 2,4-5,8), Apocalipsis 19:11- 21 (versículos 11,14,18- 19,21)

Línea: *Y sin embargo, cuando lees la Biblia ves en Apocalipsis donde Jesús regresa en un caballo blanco.*

Apocalipsis 19:11-12 "Entonces vi que el cielo se había abierto, y que allí aparecía un caballo blanco. El nombre del que lo montaba es Fiel y Verdadero, el que juzga y pelea con justicia. 12 Sus ojos parecían dos llamas de fuego, y en su cabeza había muchas diademas, y tenía inscrito un nombre que sólo él conocía."

Línea: *También hay un bermejo, un negro y un caballo pálido mencionados.*

Apocalipsis 6:1-17 (versículo 2) "Yo miré, y vi un caballo blanco..."

(versículo 4) " Salió entonces otro caballo, éste de color rojo...".

(versículo 5) "... Y entonces aparecer un caballo negro

(versículo 8) " Yo miré, y vi aparecer un caballo descolorido...".

Subtítulo: Los Ángeles pequeños

Línea: *Los ángeles más pequeños tienen tanto poder como los ángeles más grandes porque están trabajando bajo la autoridad de Dios. Es Dios quien les da poder.*

Mateo 13:34-52 (versículo 41) "El Hijo del Hombre enviará a sus ángeles, y ellos recogerán de su reino a todos los que sirven de tropiezo y a los que hacen lo malo."

Mateo 13:34-52 (versículos 49-50)

Subtítulo: ¿Tenemos ángeles guardianes?

Línea: *Una de las preguntas más hechas que recibo es: "¿Tenemos Ángeles Guardianes?" La respuesta es sí.*

Mateo 18:10-14 (versículo 10) "Tengan cuidado de no menospreciar a uno de estos pequeños, porque yo les digo que sus ángeles en los cielos ven siempre el rostro de mi Padre que está en los cielos."

Hebreos 1:3-14 (versículo 14)

Línea: *Tenemos más de uno.*

2 Reyes 6:8-23 (versículo 17) "Acto seguido, Eliseo oró con estas palabras: «Señor, te ruego que abras los ojos de mi siervo, para que vea.»"

Línea: *Todos están haciendo lo que fueron creados para hacer y lo hacen con amor para Dios.*

Salmos 103:20-22 (versículo 20) "¡Bendigan al Señor, ustedes, ángeles poderosos que cumplen sus órdenes y obedecen su voz!"

Daniel 7:9-10 (versículo 10)

Subtítulo: ¿Qué aspecto tienen los ángeles?

Línea: *Tal vez uno de cada cuatro ángeles parecía humano.*

Ezequiel 1:1-28 (versículo 10) "Visto de frente, su rostro era de aspecto humano, pero del lado derecho los cuatro tenían cara de león; del lado izquierdo tenían cara de toro, y por la nuca tenían cara de águila."

Apocalipsis 4:1-11 (versículo 7)

Línea: *Los ángeles no tienen género; sólo parecen hombres o mujeres.*

Mateo 22:23-32 (versículo 30) "Porque en la resurrección, ni se casarán ni se darán en casamiento, sino que serán como los ángeles de Dios en el cielo."

Marcos 12:24-26 (versículo 25), Lucas 20:35-37 (versículos 35-36)

Línea: *Hay ángeles que parecen luz, fuego, agua, aire, nubes, viento, árboles y flores.*

Lucas 24:1-8 (versículo 4) "Mientras ellas se preguntaban qué podría haber pasado, dos hombres con vestiduras resplandecientes se pararon junto a ellas."

Línea: *Hay ángeles que parecen luz, fuego, agua, aire, nubes, viento, árboles y flores.*

Hebreos 1:5-14 (versículo 7) "Acerca de los ángeles, dice: «Él hace que sus ángeles sean como vientos, y sus ministros como llamas de fuego.»"

2 Reyes 2:2-18 (versículo 11) Isaías 6:1-3 (versículo 2) serafines significa: quemar uno

Línea: *Así que por ahora sepa que hay más ángeles que se quedaron con Dios que con Satanás.*

Apocalipsis 12:7-12 (versículo 9) "Y fue arrojado el gran dragón, la serpiente antigua, que se llama Diablo y Satanás, y que engaña al mundo entero; fue arrojado a la tierra, y sus ángeles fueron arrojados con él".

Línea: *Termino este capítulo con esto: sólo debemos adorar a Dios (Padre, Hijo, Espíritu Santo), y no a los ángeles.*

Apocalipsis 5:1-14, (versículo 11-12) "Ellos lo vencieron por la sangre del Cordero y por la palabra que ellos proclamaron; siempre estuvieron preparados a entregar sus vidas y morir. 12 Alégrense por eso, ustedes los cielos! ¡Alégrense ustedes, que los habitan! ¡Pero ay de ustedes, los que habitan la tierra y el mar! El diablo ha llegado a ustedes lleno de ira, porque sabe que le queda poco tiempo.»"

Notas del Capítulo 19

Capítulo 20 Ocho cosas que me dijeron sobre el fin de la era

Subtítulo: ¡Estas ocho cosas tendrán lugar para señalar el fin de la era!

Línea: *¡CADA NACIÓN ESTÁ AQUÍ CON EL PROPÓSITO DE DIOS!*

> Job 12:23-25 (versículo 23) "Él hace grandes a las naciones, y las destruye; Él amplía las naciones, y las guía".

> Daniel 4:13-18 (versículo 17), Daniel 4:23-25 (versículo 25)

Línea: *¡REYES Y REINAS O LO QUE USTEDES LLAMAN PRESIDENTES Y PRIMEROS MINISTROS, ESTÁN EN EL PODER CON EL PROPÓSITO DE DIOS!*

> Apocalipsis 17:12-18 (versículo 17) "Dios ha puesto en el corazón de ellos el ejecutar lo que él se ha propuesto hacer: se pondrán de acuerdo, y entregarán su reino a la bestia, hasta que se cumplan las palabras de Dios."

> Daniel 2:20-23 (versículo 21)

Línea: *¡MÁS HIJOS E HIJAS COTIDIANAS DE DIOS SERÁN COLOCADOS EN EL GOBIERNO DE LAS NACIONES PARA EL PROPÓSITO DE DIOS!*

> Job 36:7 "Está al pendiente de los hombres justos, para exaltarlos siempre junto con los reyes."

> Job 34:29-30 (versículo 30)

Línea: *¡LEVANTAR GENTE DE ENTRE LOS MUERTOS SERÁ COMÚN EN LOS ÚLTIMOS DÍAS DE ESTA ERA!*

Lucas 7:11-17 (versículo 14-15) "Luego se acercó al féretro y lo tocó, y los que lo llevaban se detuvieron. Entonces Jesús dijo: «Joven, a ti te digo, ¡levántate!» 15 En ese momento, el que estaba muerto se incorporó y comenzó a hablar, y Jesús se lo entregó a su madre."

Mateo 9:18-26, (versículos 24-25), Juan 11:1-44 (versículos 43-44)

Línea: *DIOS NO ESTÁ TRABAJANDO A TRAVÉS DE UNA SOLA PERSONA, SINO A TRAVÉS DE SUS HIJOS E HIJAS EN LA ERA ACTUAL. IMPIDE QUE LA GENTE QUE SIGA A LOS HOMBRES Y EN SU LUGAR QUE SIGAN A DIOS.*

Tito 1:10-16 (versículo 10-11) "Porque aún hay muchos rebeldes, que hablan de vanidades y de engaños, especialmente los de la circuncisión, 11 a los cuales es preciso tapar la boca. Éstos trastornan casas enteras, y a cambio de ganancias deshonestas enseñan lo que no conviene."

Línea: *LA BUENA NOTICIA DE DIOS NO ESTÁ EN VENTA Y VA A DETENER LA VENTA DE LA MISMA HACIENDO QUE MÁS DEN LO QUE SABEN. LIBREMENTE SE HA DADO Y LIBRE-MENTE DEBEN DAR!*

Mateo 10:5-15 (versículo 8) "Sanen enfermos, limpien leprosos, resuciten muertos y expulsen demonios. Den gratuitamente lo que gratuitamente recibieron. 9 No lleven consigo oro ni plata ni cobre."

Jeremías 23:1-8 (versículo 2), 1 Timoteo 6:3-10 (versículo 3)

Línea: *LO QUE ES MALO PARECERÁ BUENO, INCLUSO PARA LOS HIJOS E HIJAS DE DIOS. LOS HIJOS Y LOS HIJOS DE DIOS CRECERÁN EN ORACIÓN EN ESE TIEMPO Y SE ABRIRÁN NUEVOS OJOS, OJOS ESPIRITUALES. ¡LO VERÁN DESDE EL CORAZÓN!*

Marcos 13:3-13 (versículo 5) "Y Jesús, respondiéndoles, comenzó a decir: Toma atención para que nadie te engañe.

(versículo 6) "Porque muchos vendrán en mi nombre, diciendo: Yo soy Él, y engañarán a muchos".

Isaías 30:8-11-13 (versículo 10), Efesios 1:15-21 (versículo 18)

Línea: ¡EL ENGAÑO VISUAL AUMENTARÁ EN TODAS LAS ÁREAS DEL MUNDO!

2 Tesalonicenses 2:1-11 (versículo 9) "La llegada de este malvado, que es obra de Satanás, vendrá acompañada de gran poder y de señales y prodigios engañosos, 10 y con toda falsedad e iniquidad para los que se pierden, por no haber querido recibir el amor de la verdad para ser salvados."

Mateo 6:22-23 (versículo 22), Hebreos 3:7-15 (versículo 13)

Made in the USA
Middletown, DE
01 October 2022

11524133R00146